똑 똑 한

하루
어휘

NEW!

3

단계

B

3~4학년

160여 개의 어휘를 공부해요!

하루하루 공부할 어휘와 차례

어휘 공부, 왜 중요할까요?

생각을 나타내는 게 말이에요.
생각을 할 때에도 말을 사용하지요. 말은 곧 생각이에요.

그런데 어휘는 말의 기본이에요.
어떤 뜻을 가지고 그것을 사용할 수 있는 가장 작은 단위가 어휘, 낱말이에요.
어휘는 말의 기본이므로, 어휘가 부족하면 생각을 나타내기 힘들어요.
마찬가지로 생각도 바르게 할 수 없어요.

어휘가 부족하면 생각도 자라지 않아요.
깊이 있는 생각은 풍부한 어휘력이 뒷받침해요.

똑똑한 하루 어휘 3·4단계 어휘 이해 과정 예 '날씨' → '강우'와 '강수'의 차이까지

날씨에서 시작해 보자.

일기

날씨

날씨를 '일기'라고도 하지.

일기 예보

일기를 미리 알려 주는 게 일기 예보야.

기상청

일기 예보는 어디서 해?

어휘 공부, 어떻게 해야 할까요?

어휘에는 '관계'가 있어요.
'책상'을 떠올리면 '의자'가 떠오르고, 책상과 의자가 어떻게 놓여 있는지 그림이 그려져요.
어휘는 '생각'이니까요.

책상과 의자가 있으니 '공부'를 하지요? 공부를 하는 것은 읽고, 쓰고, 배우는 것이고,
곧 공부라는 것이 무언가를 배우고 익힌다는 것과 비슷한 의미임을 알게 됩니다.
'책상'에서 시작해서 추상 어휘인 '공부'까지 꼬리를 물고 익히는 것.

똑똑한 하루 어휘는 이렇게 연상 어휘가 꼬리에 꼬리를 무는 학습 방법을 이용해서
아이들이 말의 감각을 키울 수 있게 하였어요.

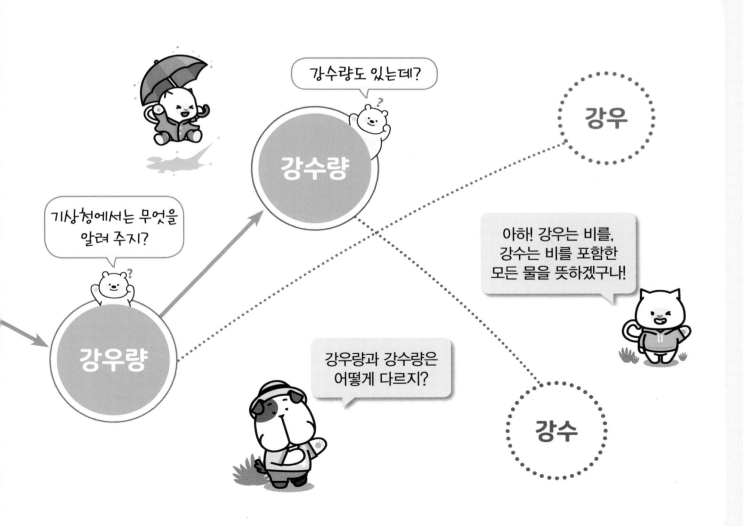

어떤 어휘를 배우나요?

똑똑한 하루 어휘는 크게 네 가지 성격의 어휘를 배워요. 일상에서 자주 쓰는 말, 평소에 헷갈리기 쉬운 말, 학교 공부에 꼭 필요한 말, 그리고 우리말의 대부분을 차지하는 한자어까지! 생각의 바탕을 이루는 어휘 감각을 **똑똑한 하루 어휘**로 키울 수 있어요!

• 재미있는 만화와 함께 어휘를 공부해요!

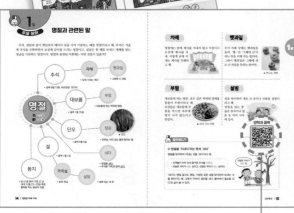

마인드맵

주제별 연상 어휘를 떠올리며 재미있게!

• 생활 속 어휘
• 자주 쓰지만 정확히 모르는 어휘
• 말의 재미를 높여 주는 어휘

주제 어휘

QR코드로 더 자세히 공부할 수 있어요!

꼬리물기

쉬운 어휘부터 개념 어휘까지 꼬리물기 학습으로 쉽게 쉽게!

• 교과목 중요 어휘
• 국어 문법 관련 어휘
• 사회 · 과학 기초 어휘

교과 어휘
(국어 / 사회·과학)

#하루에_조금씩
#쑥쑥_크는
#어휘력 #사고력

똑똑한
하루 어휘

Chunjae
Makes
Chunjae

▼

[똑똑한 하루 어휘] 3단계 B

편집개발	김주남, 안정아
디자인총괄	김희정
표지디자인	윤순미, 안채리
내지디자인	박희춘, 이혜미
일러스트	김제현, 박기종
제작	황성진, 조규영

발행일	2021년 12월 15일 초판 2021년 12월 15일 1쇄
발행인	(주)천재교육
주소	서울시 금천구 가산로9길 54
신고번호	제2001-000018호
고객센터	1577-0902

똑 똑 한
하루 어휘

어떤 책인가요?

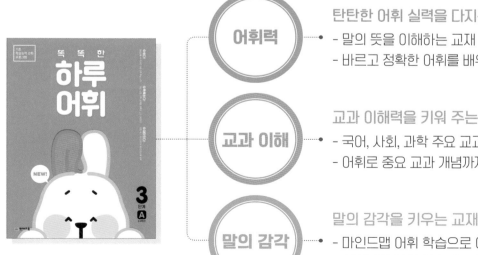

어휘력 ······ 탄탄한 어휘 실력을 다지는 교재
- 말의 뜻을 이해하는 교재
- 바르고 정확한 어휘를 배우는 교재

교과 이해 ······ 교과 이해력을 키워 주는 교재
- 국어, 사회, 과학 주요 교과 어휘 수록
- 어휘로 중요 교과 개념까지 익히는 교재

말의 감각 ······ 말의 감각을 키우는 교재
- 마인드맵 어휘 학습으로 어휘 관계를 한눈에 이해
- 꼬리물기 어휘 학습으로 연상 어휘를 자연스럽게 습득

공부했으면 빈칸에 체크 ✔해 줘!

1일 8~17쪽 ☐

명절과 관련된 말

추석, 대보름
단오, 동지
차례, 부럼
햇과일, 설빔

2일 18~23쪽 ☐

인물과 관련된 말

등장인물
주인공
주변 인물
성격

3일 24~29쪽 ☐

알쏭 어휘

초콜렛 / 초콜릿
어이없다 / 어의없다
이에요 / 예요
두껍다 / 두텁다

4일 30~35쪽 ☐

가족과 관련된 말

확대 가족, 핵가족
다문화 가족
맞벌이 가족
입양 가족

5일 36~41쪽 ☐

木(나무 목) / 金(쇠 금)

목수, 목재, 식목일
황금, 세금, 금강산

계획대로만 하면 금방 끝날 거야.

1일 50~59쪽 ☐

요리와 관련된 말

조리다, 볶다,
지지다, 무치다
부치다, 찌다
튀기다, 데치다, 삶다

2주

1주 마무리 42~49쪽 ☐

• 누구나 100점 TEST
• 1주 특강

2일 102~107쪽 ☐

옛이야기의 등장인물

사또, 이방, 양반, 머슴
도령, 아씨, 산신령
나무꾼, 옥황상제, 선녀
도깨비, 농부

3일 108~113쪽 ☐

알쏭 어휘

만들려고 / 만드려고
좋네요 / 좋으네요
안 돼요 / 안 되요
한창 / 한참

4일 114~119쪽 ☐

지형과 관련된 말

산지, 평야
하천, 해안
섬

5일 120~125쪽 ☐

生(날 생) / 日(날 일)

생명, 생일, 평생
일출, 일상, 휴일

3주 마무리 126~131쪽 ☐

• 누구나 100점 TEST
• 3주 특강

2일 142~147쪽 ☐

연극과 관련된 말

연극, 희곡
해설, 대사, 지문

1일 132~141쪽 ☐

성격을 나타내는 말

어질다, 상냥하다
너그럽다, 이기적이다
교활하다, 어수룩하다

4주

똑똑한 하루 어휘

3단계 B 스케줄표

1주

5 일 78~83쪽 ☐	4 일 72~77쪽 ☐	3 일 66~71쪽 ☐	2 일 60~65쪽 ☐
上(윗 상) / 下(아래 하)	**탐구와 관련된 말**	**알쏭 어휘**	**감상과 관련된 말**
상의, 상승, 정상 하의, 하강, 지하수	탐구, 실험 관찰, 조사 측정	수군거리다 / 수근거리다 무릅쓰다 / 무릎쓰다 낳다 / 낫다 좌석 / 자석	감상, 관심 흥미, 감동 교훈

2주 마무리 84~91쪽 ☐
• 누구나 100점 TEST • 2주 특강

틀린 문제는 다시 한 번 살펴볼까?

3주

1 일 92~101쪽 ☐
접두사·접미사가 붙은 말
풋―, 맨―, 헛―, 돌―, 덧― ―꾼, ―질, ―쟁이, ―새 ―내기

4주 마무리 166~171쪽 ☐	5 일 160~165쪽 ☐	4 일 154~159쪽 ☐	3 일 148~153쪽 ☐
• 누구나 100점 TEST • 4주 특강	**食(먹을 식) / 事(일 사)** 식사, 과식, 외식 사실, 사고, 사업가	**동물의 분류** 포유류, 조류 양서류, 파충류 어류	**알쏭 어휘** 붉으락푸르락 / 울그락붉으락 오랫만에 / 오랜만에 띠다 / 띄다 바치다 / 받치다

똑똑한 하루 어휘

총 14권

한글

예비초등 A   예비초등 B

예비초등

*권장 대상: 5~7세 예비 초등
　　　　　 한글을 배우는 아동

● 자음자, 모음자, 받침 등 한글 기초 교재
● 붙임 딱지를 붙이며 한글의 짜임을 이해
● 한글을 익히며 자연스럽게 어휘력 키우기

맞춤법 + 받아쓰기

1단계 A, B / 2권   2단계 A, B / 2권

1~2단계

*권장 대상: 초등 1학년 ~ 초등 2학년
　　　　　 한글에 익숙한 예비 초등

● 어휘로 공부하는 받아쓰기 교재
● 소리와 글자가 다른 낱말 집중 학습
● QR을 이용한 실전 받아쓰기

3단계 A, B / 2권   4단계 A, B / 2권

3~4단계

*권장 대상: 초등 3학년 ~ 초등 4학년
　　　　　 어휘력이 필요한 초등 2학년

● 마인드맵, 꼬리물기 어휘 학습
● 주제 어휘, 알쏭 어휘, 교과 어휘,
　한자 어휘 중심
● 어휘의 관계를 중심으로 말의 감각을
　키워 주는 어휘 전문 교재

5단계 A, B / 2권   6단계 A, B / 2권

5~6단계

*권장 대상: 초등 5학년 ~ 초등 6학년
　　　　　 어휘력이 필요한 초등 4학년

● 해시태그(#) 유사 어휘 퀴즈 학습
● 생활 어휘, 교과 어휘, 한자 어휘 중심
● 속담, 관용어, 사자성어를 중심으로 어휘의
　폭을 넓혀 주는, 고학년 어휘 전문 교재

똑똑한 하루 어휘를 함께할 친구들

마유미

마수리

변신술

수리 수리
유미 수리!

유미 수리 마술 쇼에 초대합니다!

마유미와 마수리 남매는 유명한 마술사예요! 질투심 많은 변신술이 늘 유미와 수리를 쫓아다니며 훼방을 놓지만,
남매는 항상 보란 듯이 멋진 마술 공연을 성공해 내지요! 유미 수리 마술 쇼에 함께 구경 가 볼까요?

알쏭 어휘

Q&A

헷갈리는 어휘에 대해
궁금한 점은 질문과
대답으로 한눈에!

• 헷갈리는 말
• 뜻에 따라 쓰임이
  다른 말
• 잘못 표기하기 쉬운 말

한자 어휘

한자 쓰기

대표 한자와 연관 한자
어를 통해 한자의 뜻과
쓰임이 머리에 쏙쏙!

• 자주 쓰는 한자 어휘
• 한자어의 감각을 익힐
  수 있는 어휘

1주

1주에는 무엇을 공부할까? ①

1일 주제 어휘 > 명절과 관련된 말

추석
설
대보름
단오
부럼
햇과일
차례

2일 교과 어휘 국어 > 등장인물과 관련된 말

인물
등장인물
주인공
주변 인물
성격

3일 알쏭 어휘 > 초콜릿, 어이없다 …

초콜렛/초콜릿
어이없다/어의없다
이에요/예요
두껍다/두텁다

4일 교과 어휘 사회 > 가족의 종류

확대 가족
핵가족
다문화 가족
맞벌이 가족
입양 가족

5일 한자 어휘 > 木 나무 목 金 쇠 금

목수
목재
식목일
황금
세금
금강산

주제 어휘 1 명절과 관련된 말

다음 달력의 날짜는 무슨 명절인지 쓰세요.

음력 8월 15일

음력 1월 1일

음력 5월 5일

(1) ▢▢   (2) ▢▢   (3) ▢▢

교과 어휘 2 [국어] 등장인물과 관련된 말

다음 이야기의 주인공은 누구인지 쓰세요.

(1) 알라딘의 모험

▢

(2) 엄지 공주 이야기

▢

1
주

알쏭 어휘

3 **[외래어] 초콜릿…**

다음 외래어 중 맞춤법이 바른 것을 골라 ○표를 하세요.

| 쥬스 | 도너츠 | 콤퓨터 | 초콜릿 |

한자 어휘

4 **木 나무 목 / 金 쇠 금**

다음 빈칸에 공통으로 들어갈 글자를 쓰세요.

| ○수 | ○재 | 식○일 |

주제 어휘

명절과 관련된 말

안녕, 여러분! 달 밝은 추석에는 뭘 할까요?

유미의 신기한 마술쇼

저기 있다!

차례를 지내요!

또 다른 일은 무엇이 있을까요?

부럼 까먹기!

부럼을 추석에 먹나?

?

부럼은 대보름이고 추석엔 햇과일을 먹지!

와르르

재미있는 영화 보기?

쟨 또 뭐 하는 거야?

아니, 아니, 아니야! 유미의 마술 쇼를 봐야지!

최고의 마술사 유미를 소개합니다.

오늘의 어휘

부럼 / 햇과일
부럼은 대보름에 먹는 딱딱한 열매, 햇과일은 추석 차례에 올리는, 그해에 새로 난 과일.

호두　밤　땅콩

▲ 여러 가지 부럼

1주

오늘의 어휘

대보름 / 단오
대보름은 음력 1월 15일, 단오는 음력 5월 5일.
모두 우리나라의 명절.

씨름　　　그네뛰기
▲ 단오에 하는 일

명절과 관련된 말

추석, 설날과 같이 옛날부터 해마다 날을 지켜 기념하는 때를 명절이라고 해. 추석은 가을에 곡식을 수확하면서 조상께 감사를 드리는 명절이고, 설날은 한 해를 보내고 새해를 맞는 첫날을 기념하는 명절이지. 명절과 관련된 어휘에는 어떤 것들이 있을까?

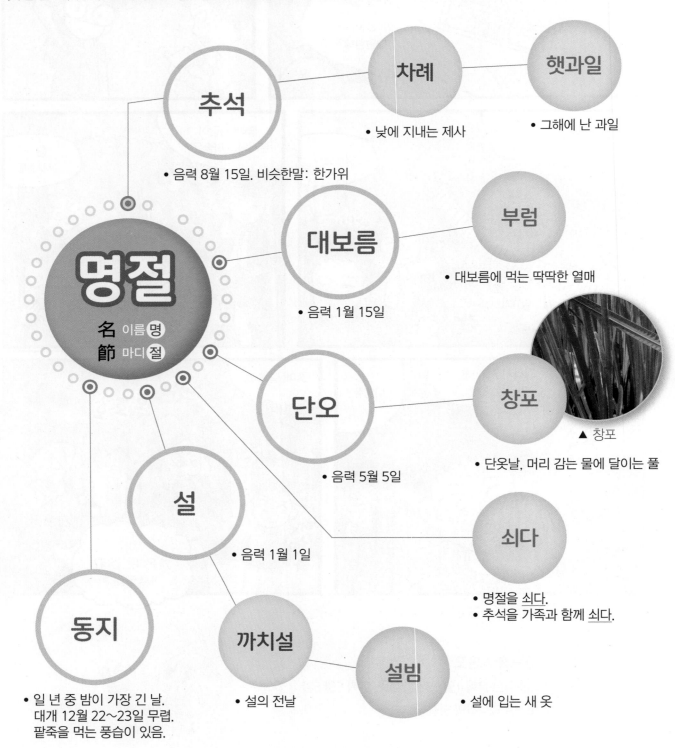

추석
• 음력 8월 15일. 비슷한말: 한가위

차례
• 낮에 지내는 제사

햇과일
• 그해에 난 과일

명절
名 이름 명
節 마디 절

대보름
• 음력 1월 15일

부럼
• 대보름에 먹는 딱딱한 열매

단오
• 음력 5월 5일

창포
• 단옷날, 머리 감는 물에 달이는 풀
▲ 창포

설
• 음력 1월 1일

쇠다
• 명절을 <u>쇠다</u>.
• 추석을 가족과 함께 <u>쇠다</u>.

동지
• 일 년 중 밤이 가장 긴 날. 대개 12월 22~23일 무렵. 팥죽을 먹는 풍습이 있음.

까치설
• 설의 전날

설빔
• 설에 입는 새 옷

차례

명절에는 밤에 제사를 지내지 않고 아침이나 오전에 제사를 지내. 이렇게 낮에 지내는 제사를 차례라고 해.

햇과일

추석 차례 상에는 햇과일을 올려. '햇-'은 '그해에 난'이라는 뜻을 더해 주는 말이야. 그래서 햇과일은 그해에 새로 난 과일을 뜻하는 말이야.

▲ 햇사과, 햇배

부럼

대보름에 먹는 땅콩, 호두 같은 딱딱한 열매를 통틀어 부럼이라고 해. 조상들은 대보름에 부럼을 먹으면 피부에 병이 나지 않는다고 믿었어.

▲ 여러 가지 부럼

설빔

설을 맞이하여 새로 산 옷이나 신발을 설빔이라고 해. 설빔을 입는 풍습은 중국이나 일본 등 여러 나라에 있어.

 들어봤니?

✪ 명절을 '지내다'라는 뜻의 '쇠다'

명절을 맞이하여 지내는 것을 '쇠다'라고 해.

- 친척들이 모두 모여 즐거운 추석을 쇠었다.
- 오늘은 까치가 쇠는 설이고, 내일은 우리가 쇠는 설이야.

'쇠다'는 명절 말고도 생일, 기념일 같은 날을 맞이하여 보내는 것을 뜻하기도 해. 그래서 '아버지 생신을 쇠다, 할아버지 칠순을 쇠다'와 같이 쓸 수 있어.

오늘은 내가 쇠는 설.

까치설

내일은 우리가 쇠는 설.

1 다음 명절은 몇 월 며칠인지 선으로 이으시오.

(1) 추석 •

(2) 대보름 •

(3) 단오 •

(4) 설 •

• ① 음력 1월 1일

• ② 음력 1월 15일

• ③ 음력 5월 5일

• ④ 음력 8월 15일

2 다음은 '차례'의 뜻입니다. 첫소리와 해당 낱말의 뜻을 살펴보고 ❶과 ❷에 들어갈 알맞은 낱말을 쓰시오.

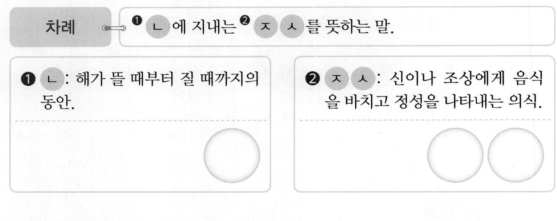

차례 → ❶ ㄴ 에 지내는 ❷ ㅈ ㅅ 를 뜻하는 말.

❶ ㄴ : 해가 뜰 때부터 질 때까지의 동안.

❷ ㅈ ㅅ : 신이나 조상에게 음식을 바치고 정성을 나타내는 의식.

3 대보름에 먹는 부럼으로 알맞지 <u>않은</u> 것은 어느 것입니까? ·············· (   )

① 잣   ② 호두   ③ 밤   ④ 땅콩   ⑤ 호떡

4 다음 중 '쇠다'가 바르게 쓰인 문장은 어느 것입니까? ·············· (   )

① 옷에 땀이 차서 <u>쉰</u> 냄새가 난다.

② 날이 더워서 음식이 금방 <u>쇠었다.</u>

③ 공부하는 친구를 놀자고 <u>쇠어</u> 냈다.

④ 긴 명절을 <u>쇠고</u> 오니 몸이 나른해졌다.

⑤ 어제 힘든 일을 많이 해서 오늘은 <u>쇠어야겠다.</u>

5 다음에서 설명하는 낱말을 말 상자에서 찾아 모두 ○표 하시오. 말 상자의 낱말은 가로, 세로, 대각선에 숨어 있습니다.

설	명	품		까	마	귀
네	절	임	분	홍	치	마
일	☆	한	가	위	대	설
모		햇	♡		구	대
레	가	♪	과	수	원	보
바	뭄		자	일		름
람	동	지	♪	요	일	☆

① 해마다 일정하게 지켜 기념하는 때. 우리나라의 설날, 대보름, 추석, 동지 등이 있음.

② 음력 8월 15일 추석을 다른 말로 이르는 말. ⓗⓖⓘ.

③ 음력 1월 15일. 딱딱한 열매를 깨물어 먹는 풍습이 있는 명절.

④ 그해에 난 과일을 이르는 말. 추석 차례 상에는 ⓗⓖⓘ을 올림.

⑤ 설날의 전날을 이르는 말. 까치가 쇠는 설이라고 해서 붙여진 이름.

⑥ 일 년 중 가장 밤이 긴 날. 예 ⓒⓩ에는 팥죽을 먹어요.

등장인물과 관련된 말

유미의 신기한 마술쇼

여러분! 안녕하세요?
유미의 마술 쇼의
주인공 유미입니다.

안녕하세요!
유미입니다.

제 마술은
어쩌고
저쩌고……

짠! 와!
짝짝짝!

흥!
재미가 하나도
없어!

신기한?
웃기고
있네!

유미의마술

등장인물도
다 마음에 안 들어!

**오늘의
어휘**

등장인물

연극, 영화, 소설 등에 나오는 인물.

예 이야기에는 수많은 <u>등장인물</u>이 나옵니다.

흥부   놀부
▲ 「흥부전」의 등장인물

오늘의
어휘

인물과 성격

이야기에서 인물의 성격은 그 인물
의 특징을 뚜렷하게 드러내어 줌.

흥부의
성격

착하다.
인정이 많다.

놀부의
성격

욕심이 많다.
심술궂다.

인물 》 등장인물 》 성격

인물

인물은 사람을 뜻하는 말이야. '인물'에 쓰인 '인' 자는 사람을 뜻해.

인
사람

- 군 **인** 군대에서 일하는 사람
- 범 **인** 범죄를 저지른 사람
- 신고 **인** 신고를 한 사람
- 간호 **인** 간호하는 사람

인물은 사람 그 자체를 뜻하기도 하고, '사람의 생김새'나 '뛰어난 사람'을 뜻하기도 해.

㉵ 인물이 좋다. / 우리 동네에 큰 인물이 났다.

🔊 이야기 속 인물은 뭐라고 할까?

등장 인물

시, 이야기, 연극, 영화에 나오는 모든 사람을 '등장인물'이라고 해. 간단히 인물이라고도 하지. 이야기에서 사람처럼 말하고 행동하는 동물이나 식물도 모두 등장인물이야.

㉵ 이 이야기의 등장인물은 토끼와 거북이예요.

등장하는
(나오는)
＋
사람

🔊 가장 중요한 등장인물은?

주인공

이야기에서 사건의 중심이 되는 등장인물을 주인공이라고 해. 「심청전」의 주인공은 심청이고, 「백설 공주」의 주인공은 백설 공주야.

🔊 주인공이 아닌 인물은?

주변 인물

주 변 에 있는 인 물

이야기에서 주인공을 제외한 나머지 인물들을 주변 인물이라고 해. 주인공 주변에 있는 인물이라는 거지.

(예) 이 드라마의 주변 인물들은 주로 주인공을 도와주는 역할을 합니다.

주변 인물

🔊 인물에게 중요한 것은?

성격

성격에 있는 '성'은 대상의 마음씨나 특성을 뜻해. 그래서 성격은 '착하다, 게으르다, 고집 세다'와 같이 그 사람이 가지고 있는 성질이나 됨됨이를 뜻하는 말이야.

(예) 놀부는 욕심이 많은 성격이야.
(예) 왕자는 착하지만 겁이 많은 성격이야.

1 다음 ☐에 공통으로 들어갈 글자는 무엇입니까?······················( )

군☐ : 군대에서 일하는 사람.   거☐ : 몸집이 거대한 사람.

범☐ : 범죄를 저지른 사람.   신고☐ : 신고를 한 사람.

① 자   ② 대   ③ 인   ④ 사   ⑤ 가

2 다음 뜻에 알맞은 낱말을 선으로 이으시오.

(1) 이야기에서 사건의 중심이 되는 인물 •   • ① 주인공

(2) 이야기에서 사건의 흐름과 관련이 먼 인물 •   • ② 주변 인물

3 다음 '등장인물'의 뜻으로 보아 '등장'의 의미는 무엇이겠습니까?··············( )

• 등장인물: 등장 + 인물
• 뜻: 연극, 영화, 소설 따위에 나오는 모든 인물.

① 모든 인물   ② 가장 중요한

③ 연극, 영화, 소설을 이르는 말   ④ 연극, 영화, 소설 따위에 나타남.

⑤ 이야기가 일어나는 시간과 장소

4 다음이 등장인물이면 ○, 등장인물이 아니면 ×표를 하시오.

(1) 「별주부전」에서 자라에게 속아 용궁에 간 토끼 ( )

(2) 「신데렐라」 이야기에서 신데렐라가 잃어버린 유리 구두 ( )

(3) 「심청전」에서 심청이 인당수에 몸을 던지자 엉엉 울던 심 봉사 ( )

(4) 「백설 공주」 이야기에서 백설 공주와 일곱 난쟁이가 살던 오두막 ( )

5 「흥부놀부」 이야기를 떠올리며 빈칸에 들어갈 말을 글자를 모아 쓰시오.

(1) 「흥부놀부」의 ▢▢▢▢ 에는 흥부, 놀부, 흥부네 가족, 놀부네 가족 등이 있어.

(2) 흥부와 놀부는 이야기에서 사건을 이끌어 가는 ▢▢▢ 이야.

(3) 흥부의 아내, 놀부의 아내는 주인공 주변에서 이야기를 돕는

▢▢ ▢▢ 이지.

(4) 흥부는 착하고 성실하지만 놀부는 욕심 많고 자기만 아는 못된 ▢▢

이야.

(5) 흥부는 제비를 도와준 덕에 부자가 되고, 놀부는 욕심을 부리다 벌을 받았어.

인물의 ▢▢ 때문에 결과가 달라진 거야.

3일

❶ 초콜렛 / 초콜릿

Q 초콜렛이 맞을까요, 초콜릿이 맞을까요?

A 초콜릿 (○)

'텔레비전', '컴퓨터'와 같이 외국에서 들어온 말을 외래어라고 해요. 외래어도 맞춤법에 맞게 써야 해요. 카카오나무 열매로 만든 과자를 뜻하는 외래어는 '초콜릿'이에요.

㉠ 달콤한 <u>초콜릿</u>이 먹고 싶어요.

여러 가지 외래어	로봇, 도넛, 주스, 버스, 택시

② 어이없다 / 어의없다

Q 어이없네가 맞을까요, 어의없네가 맞을까요?

A 어이없네 (　○　)

일이 너무 뜻밖이어서 기가 막히는 듯하다의 뜻을 가진 말은 '어이없다'예요. '어의없다'로 잘못 알고 있는 경우가 많은데 어의없다는 틀린 말이에요. 어이없다와 비슷한말로 '어처구니없다'가 있어요.

㉐ 한겨울에 반팔을 입으라니 어이없다.
㉐ 한겨울에 반팔을 입으라니 어처구니없다.

③ 이에요 / 예요

Q 선물이에요가 맞을까요, 선물이예요가 맞을까요?

A 선물이에요 (○) / 이불이에요 (○)

앞말에 받침이 있으면 '이에요'가 붙어요. 그리고 앞말에 받침이 없으면 '예요'로 줄여 쓸 수 있어요. '선물'은 앞말 '물' 자에 받침이 있으니까 '선물이에요'로 쓰고, '지게'와 같이 앞말에 받침이 없으면 '지게예요'로 줄여 쓸 수 있어요.

예 이것은 따뜻한 이불이에요.
예 이것은 글자를 지우는 지우개예요.
예 모두 공짜예요.

❹ 두껍다 / 두텁다

Q 이불은 두터운 걸까요, 두꺼운 걸까요?

형님! 형님은 식구들이 저보다 많으니 이 두터운 이불은 형님이 가지세요.

아우야, 이불은 두꺼운 거지 두터운 게 아니란다.

오호~

참으로 우애가 두터운 형제군요.

A 이불이 두껍다 (○   ) / 우애가 두텁다 (○   )

두께가 큰 것은 '두껍다'라고 하고, 믿음이나 우정과 같이 마음이 굳고 깊은 것은 '두텁다'라고 해요. 이불은 마음이 아니라 물건이니 '두껍다'가 맞아요.

⑩ 선물 받은 책이 두껍다.

⑩ 두 친구의 우정이 두텁다.

⑩ 친구에 대한 믿음이 두텁다.

그럼 아우한테는 이 두꺼운 양탄자를 주세요.

이건 제가 타고 갈 건데…

1 다음 빈칸에 공통으로 들어갈 알맞은 말에 ○표 하시오.

> ・ [   ]은 카카오나무 열매를 볶아 만든다.
> ・ 나는 쓴맛이 강한 [   ]을 좋아한다.
> ・ [   ]은 외국에서 들어와 우리말처럼 쓰이는 외래어이다.

(초코렛 / 초콜릿 / 초콜렛)

2 다음 문장의 밑줄 그은 말이 바르지 않은 것은 어느 것입니까? ·················· (   )

① 형제간의 우애가 정말 두터웠다.
② 날씨가 너무 추워서 두터운 옷을 입고 나갔다.
③ 나무가 너무 두꺼워서 구멍에 들어가지 않았다.
④ 억지로 떼를 쓰는 동생을 보고 정말 어이없었다.
⑤ 수영장에 수영복도 가지고 오지 않은 친구가 어처구니없었다.

3 다음 문장의 밑줄 그은 부분을 알맞은 말로 고쳐 쓰시오.

(1) 저는 영호 친구 영수에요. ···▶ [   ]

(2) 책이 너무 두터워서 잡기 힘들어요. ···▶ [   ]

(3) 친구에 대한 믿음이 두껍다. ···▶ [   ]

(4) 한 통에는 네 개의 초컬릿이 들어 있다. ···▶ [   ]

(5) 친구의 거짓말에 어의없게 속고 말았다. ···▶ [   ]

4 다음 그림을 보고 알맞은 말에 ○표 하시오.

(1)

호랑이는 달콤한 (초콜릿 / 초콜렛)이 먹고 싶었습니다.

(2)

오누이가 카메라로 자신을 보고 있다는 걸 알고 호랑이는 (어이 / 어의)없었습니다.

(3)

동생이 형님에게 말하였습니다.
"형님, 이제 우린 부자(에요 / 예요)!"

(4)

형님이 지니에게 말하였습니다.
"그럼 이 (두꺼운 / 두터운) 양탄자는 동생에게 주세요."

가족의 종류

입양 가족을 위한 우리 공연의 하이라이트!

유미의 신기한 마술 쇼

토끼 마술입니다!

토끼 마술?

먼저 저를 도와줄 친구?

저요! 제가 할게요!

저요, 저요!

저기 저 앞에 있는 친구, 나오세요!

와아~! 당첨이다!

유미의 신기한

누구랑 왔어요?

부모님이 맞벌이를 하셔서 저 혼자 왔어요!

회사 다녀올 테니 잘 보고 와!

좋아! 씩씩한 친구! 잘 부탁해요!

오늘의 어휘

맞벌이

부부가 모두 직업을 가지고 돈을 버는 것. 또는 그런 일.

예 부부는 가난하였지만 시장에서 <u>맞벌이</u>를 하며 열심히 돈을 모았습니다.

맞 + 벌이

마주, 서로   버는 일

1주

보세요~ 아무것도 없죠?

그러나 이렇게 뒤집으면~ 짜잔~

토끼가 외로워 보이죠? 자! 뿌려 보세요!

짜잔~ 엄마 아빠까지! 핵가족이 되었습니다.

한번 더 부탁해!

우와! 갈색 토끼가 됐어!

꼭 다문화 가족 식구들 같아요!

에이취!

아니? 변신술?

마법 가루만 아니었어도 완벽했는데!

오늘의 어휘

다문화

한 사회 안에 여러 민족이나 여러 국가의 문화가 같이하는 것을 이르는 말.

예 해외 교류가 활발해지면서 우리나라도 <u>다문화</u> 시대에 이르렀다.

확대 가족 » 핵가족 » 입양 가족

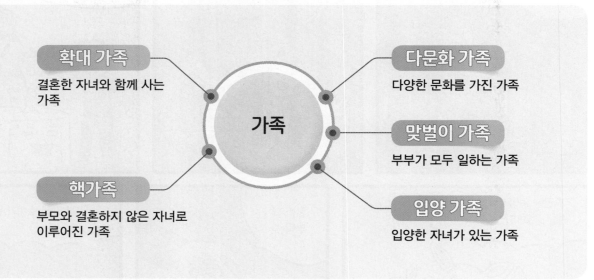

확대 가족		다문화 가족
결혼한 자녀와 함께 사는 가족	가족	다양한 문화를 가진 가족
		맞벌이 가족
		부부가 모두 일하는 가족
핵가족		입양 가족
부모와 결혼하지 않은 자녀로 이루어진 가족		입양한 자녀가 있는 가족

확 대 한 가 족

확대 가족

결혼한 자녀가 따로 나가 살지 않고 부모와 그대로 함께 사는 가족을 확대 가족이라고 해. 옛날에 농사를 지으려면 일꾼이 많이 필요했기 때문에 결혼한 자녀와 함께 사는 확대 가족이 많았지.

예 옛날에는 확대 가족이 많았습니다.

▲ 확대 가족

🔊 할아버지, 할머니가 함께 살지 않는 가족은?

핵가족

산업이 발달하면서 나이가 든 부모님은 농촌에 남고, 도시로 온 젊은이들은 결혼을 해서 가족을 꾸렸지. 핵가족은 이렇게 할아버지 할머니 없이 부모와 결혼하지 않은 자녀로만 이루어진 가족을 말해.

예 우리 집은 아버지, 어머니, 동생과 함께 사는 핵가족입니다.

▲ 핵가족

🔊 외국인과 결혼해서 꾸린 가족은?

다 양한 문 화 를 가진 가 족

다문화 가족

다문화 가족은 서로 다른 국적, 인종, 문화를 가진 남녀가 결혼해서 이룬 가족이야. 해외 교류가 활발해지고 외국인 근로자가 많아지면서 우리나라도 자연스럽게 다문화 가족이 늘어나고 있어.

🔊 부부가 모두 일을 하는 가족은?

맞벌이 가족

맞벌이 가족은 부부가 둘 다 직업을 가지고 일하는 가족을 말해. 여성들의 사회 참여가 많아지면서 맞벌이 가족도 늘고 있어. 부부가 모두 일하기 때문에 집안일과 자녀 양육도 서로 도우며 함께 하지.

입양

🔊 자녀를 입양한 가족은?

입양 가족

가족이 아니었던 아이를 자녀로 맞아 키우는 것을 입양이라고 해. 입양 가족이란 이렇게 입양한 아이가 있는 가족이야. 돌봄이 필요한 아이들을 가족으로 받아들이면서 가족이 꼭 혈연관계여야만 한다는 생각도 바뀌고 있어.

예 입양 가족의 아이들은 '가슴으로 낳은 아이들'이라고 해요.

1 다음 가족에 대한 설명으로 알맞은 것을 찾아 선으로 이으시오.

(1) 핵가족 ·

(2) 확대 가족 ·

· ① 주로 농사를 짓던 옛날에 많았던 가족

· ② 오늘날 산업이 발달하면서 많아진 가족

2 다음 중 핵가족을 이루는 사람이 <u>아닌</u> 것은 누구입니까?·······(　　　)

① 나　　　　② 동생　　　　③ 아버지　　　　④ 어머니　　　　⑤ 할아버지

3 다음 어휘의 첫 자음자와 뜻을 보고 ❶과 ❷에 들어갈 낱말을 쓰시오.

 **❶** ㄷ ㅁ ㅎ 가족: 서로 다른 국적, 인종, 문화를 가진 남녀가 결혼해서 이룬 가족.

❶ ◯ ◯ ◯

 **❷** ㅁ ㅂ ㅇ 가족: 부부가 모두 직업을 가지고 일하는 가족.

❷ ◯ ◯ ◯

4 다음은 어떤 가족의 모습인지 쓰시오.

우리 아이들은 가슴으로 낳은 아이들이에요.

부모가 직접 낳지 않아도 가족이 될 수 있어요.

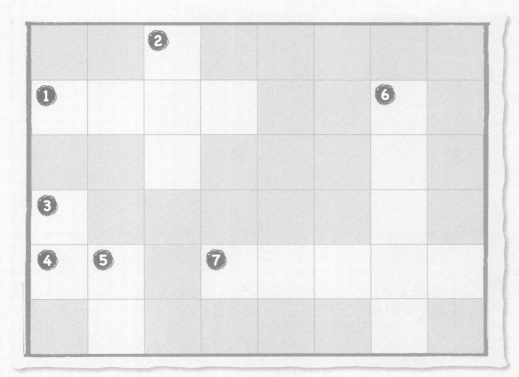

5 가로 열쇠와 세로 열쇠를 보고 다음 십자말풀이를 완성하시오.

→ 가로

1 자녀가 결혼한 후에도 부모와 함께 사는 가족의 형태. 일꾼이 많이 필요했던 농사를 짓기 위해 옛날에 많았던 가족의 모습.

4 가족이 아니었던 아이를 자녀로 맞아 키우는 것.
   예 애플의 창업자인 스티브 잡스도 어렸을 때 ○○ 가족으로 자랐습니다.

7 국적, 인종, 문화가 다른 남녀가 결혼해서 이룬 가족.
   예 우리 엄마는 베트남에서 오셨어요. 우리 가족은 ○○○ 가족입니다.

↓ 세로

2 할아버지나 할머니 없이 부모와 결혼하지 않은 자녀로만 이루어진 가족 형태.

3 어떤 조직이나 단체에 들어가는 것.
   예 동아리에 ○○을 신청했다.

5 아이를 보살펴서 자라게 하는 것. 아이를 키우는 것.
   예 오늘날 자녀 ○○은 가족뿐만 아니라 지역 사회도 함께한다.

6 부부가 둘 다 직업을 가지고 일하는 가족.

木이 들어간 말

木
나무 목

{ 나무의 뿌리와 가지의 모습을 그린 글자로 나무를 뜻하는 한자예요. }

급수 | 8급   부수 | 木   획수 | 총 4획

QR을 보며 따라 써요!

🔍 한자 획순을 알아보아요. ─────────

$木$ → $才$ → $才$ → $木$
①　　②　　③　　④

나무 목

1주

한자를 쓰며 익혀요~!

 목수 나무로 집을 짓거나 가구, 기구 따위를 만드는 사람.

－－－－－－

◆ 삼촌은 재주 좋은 **목수**여서 나무로 만들지 못하는 물건이 없습니다.

木	手
나무 목	손 수

 목재 건축이나 가구 따위에 쓰는, 나무로 된 재료.

－－－－－－

◆ 가구를 튼튼하게 만들려면 오랜 시간 잘 말린 **목재**가 필요합니다.

木	材
나무 목	재목 재

 **식목일** 나무를 심고 가꾸기 위해 정한 날.

－－－－－－

◆ 4월 5일 **식목일**을 맞아 우리 집 마당에 작은 나무를 심었습니다.

植	木	日
심을 식	나무 목	날 일

5일

한자 어휘

金이 들어간 말

金

쇠 금

{ 옛날에 철을 만들던 가마의 모습을 그린 글자로 쇠, 금속, 돈을 뜻하는 한자예요. }

급수 | 8급   부수 | 金   획수 | 총 8획

금속을 황금으로 바꾼다?

과학적으로 불가능하지만

짜잔! 황금색 페인트 가루!

절레
절레
절레

이것만 있으면……

엥? 될 때까지 한다!

부스스
스스

황금 사과로! 짜잔!

그대론데?

5시간 째,

변해라! 얍얍!

금강산도 식후경이라고… 밥 좀 먹자!

꼬르륵

金
쇠 금

한자 획순을 알아보아요.

①金 → 金② → 金③ → 仝④
仝⑤ → 仝⑥ → 金⑦ → 金⑧

한자를 쓰며 익혀요~!

황 금 누런빛의 금

◐ 형제는 동굴에서 **황금**을 발견하여
부자가 되었습니다.

黃	金
누를 황	쇠 금

세 금 나라에서 국민에게 거두어들
이는 돈.

◐ 우리가 낸 **세금**으로 다리, 댐,
공원과 같은 시설을 만들어요.

稅	金
세금 세	쇠 금

금 강 산 강원도 북부에
있는 유명한 산.

◐ 빨리 통일이 되어서 **금강산**
을 구경하고 싶습니다.

金	剛	山
쇠 금	굳셀 강	메 산

1 다음 낱말에 공통으로 들어가는 '목' 자의 뜻은 어느 것입니까? ·········· ( )

| 목재 | 목수 | 식목일 |

① 물   ② 불   ③ 돌   ④ 흙   ⑤ 나무

2 다음 뜻을 가진 낱말은 어느 것입니까? ·· ( )

🗨뜻 나무를 이용하여 집, 가구 등을 만드는 일을 하는 사람.

① 목재   ② 목수   ③ 목장   ④ 선수   ⑤ 나무꾼

3 다음 낱말의 뜻풀이로 보아 밑줄 그은 '금'이 '돈'을 뜻하는 낱말은 어느 것입니까?

<u>금</u>속	쇠와 같은 성질을 가진 물질.	백<u>금</u>	하얀색을 가진 금.
황<u>금</u>	누런빛의 금.	세<u>금</u>	나라에서 거두어들이는 돈.

( )

4 힌트를 보고 다음 빈칸에 들어갈 알맞은 글자를 써넣으시오.

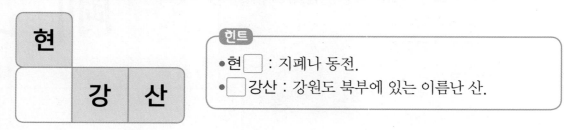

현

강 산

┌힌트┐
• 현 ☐ : 지폐나 동전.
• ☐ 강산 : 강원도 북부에 있는 이름난 산.

5 가로 열쇠와 세로 열쇠를 보고 다음 십자말풀이를 완성하시오.

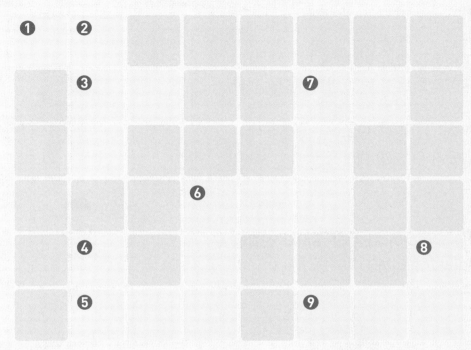

➡ 가로

❶ 음식으로 고기를 먹는 것. 또는 그런 식사.

❸ 건축이나 가구 따위에 쓰는, 나무로 된 재료.

❺ 월요일을 첫 날로 했을 때 일주일 중 다섯 번째 요일.

❻ 여러 가지 나무를 수집하여 재배하는 곳.

❼ 사과, 배, 포도와 같은 종류를 일컫는 말.

❾ 옛날, 가야국에서 만들었다고 알려진 우리나라 고유의 악기, 열두 줄을 튕겨 소리를 냄.

⬇ 세로

❷ 나무를 심고 아끼기 위해 나라에서 정한 날. 매년 4월 5일.

❹ 누런빛을 띠는 금.
　예 ○○ 보기를 돌같이 하자.

❻ 월요일을 첫 날로 했을 때 일주일 중 세 번째 요일.

❼ 과일 나무를 심은 밭.

❽ 공공의 살림을 위해 국가에서 국민에게 거두어들이는 돈.

1 다음과 같은 풍습이 있는 명절은 무엇입니까?....................................( )

> • 씨름을 합니다.
> • 창포를 달인 물로 머리를 감습니다.

① 설   ② 단오   ③ 추석
④ 동지   ⑤ 대보름

2 설을 맞이하여 새로 산 옷이나 신발을 무엇이라고 합니까?....................( )

① 새옷   ② 설빔   ③ 차례
④ 부럼   ⑤ 까치설

3 다음 ☐ 에 들어갈 음식은 무엇입니까?
....................................( )

> 동지는 일 년 중 밤이 가장 긴 날입니다. 동지에는 나쁜 기운을 쫓아낼 수 있다고 하여 ☐ 을 쑤어 이웃과 나누어 먹었습니다.

① 엿   ② 깨죽   ③ 떡국
④ 송편   ⑤ 팥죽

4 다음 그림을 보고 인물을 주인공과 주변 인물로 나누시오.

㉠ ▲ 흥부   ㉡ ▲ 아내
㉢ ▲ 아들   ㉣ ▲ 딸

(1) 주인공: ( )
(2) 주변 인물: ( )

5 다음 인물의 성격을 찾아 선으로 이으시오.

(1) 놀부 •   • ㉠ 착하다.

        • ㉡ 가난하다.

(2) 흥부 •   • ㉢ 욕심이 많다.

◑ 정답과 풀이 3쪽

점수
점

6 다음 낱말에 공통으로 들어갈 글자는 무엇입니까? ······················ (   )

> 군◻ : 군대에서 일하는 사람.
>
> 범◻ : 범죄를 저지른 사람.
>
> 거◻ : 몸집이 거대한 사람.

① 대   ② 소   ③ 명   ④ 인   ⑤ 치

7 글자를 골라 ⓣ에 알맞은 말을 만드시오.

입	출	가	족	구
성	탈	양	소	글

> ⓣ 직접 낳지 않은 아이를 자녀로 인정하고 맞이하는 일.

◻◻

8 다음과 같은 가족을 무슨 가족이라고 합니까? ·························· (   )

> 서로 다른 국적, 인종, 문화를 가진 남녀가 결혼해서 이룬 가족.

① 핵가족   ② 확대 가족
③ 입양 가족   ④ 맞벌이 가족
⑤ 다문화 가족

9 다음 빈칸에 들어갈 말을 보기 에서 찾아 쓰시오.

자, 여러분께 선물을 준비했어요!

보기

에요	예요

(1) 이것은 수박이 ◻◻◻.

(2) 이것은 오이 ◻◻◻.

(3) 이것은 귤이 ◻◻◻.

(4) 모두 공짜 ◻◻◻.

10 다음 십자말풀이의 빈칸에 들어갈 알맞은 글자는 무엇입니까? ············· (   )

⬇ 세로
나무를 심는 날.

➡ 가로
나무로 된 재료.

① 월   ② 화   ③ 수
④ 목   ⑤ 금

속담 플러스

더도 말고 덜도 말고 늘 가윗날만 같아라

 가윗날은 추석의 다른 말이에요. 조상들은 곡식과 과일을 수확하는 추석 무렵이 가장 풍족하고 살기 좋은 날이라고 생각했어요. 그래서 추석날처럼 잘 먹고 잘 살기를 바라는 마음을 '더도 말고(더하지도 말고) 덜도 말고(덜하지도 말고) 늘 가윗날만 같아라'라고 표현했답니다.

사고 쑥쑥

1 다음 명절과 관련이 없거나 거리가 먼 것 하나를 골라 색칠하세요.

(1)

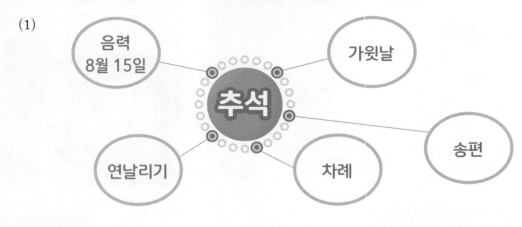

음력 8월 15일 / 가윗날 / 추석 / 송편 / 연날리기 / 차례

(2)

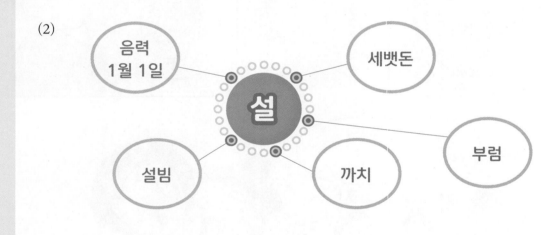

음력 1월 1일 / 세뱃돈 / 설 / 부럼 / 설빔 / 까치

(3)

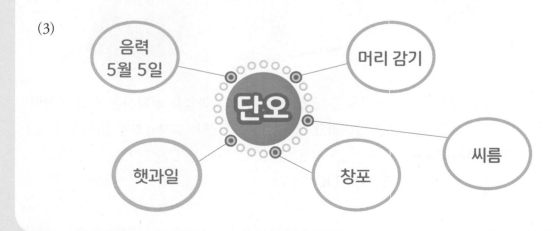

음력 5월 5일 / 머리 감기 / 단오 / 씨름 / 햇과일 / 창포

2 다음 다섯 고개에 알맞은 이야기 속 등장인물을 써 보세요.

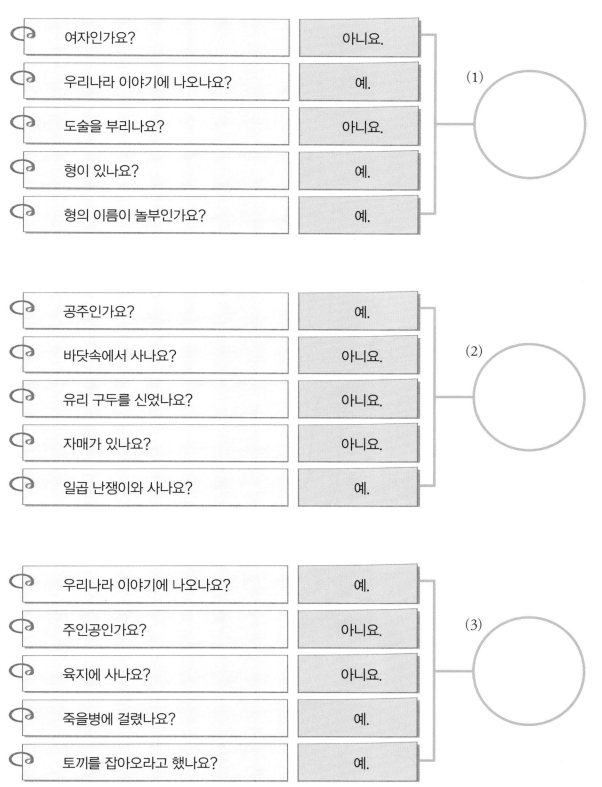

여자인가요? — 아니요.
우리나라 이야기에 나오나요? — 예.
도술을 부리나요? — 아니요.
형이 있나요? — 예.
형의 이름이 놀부인가요? — 예.
(1) ◯

공주인가요? — 예.
바닷속에서 사나요? — 아니요.
유리 구두를 신었나요? — 아니요.
자매가 있나요? — 아니요.
일곱 난쟁이와 사나요? — 예.
(2) ◯

우리나라 이야기에 나오나요? — 예.
주인공인가요? — 아니요.
육지에 사나요? — 아니요.
죽을병에 걸렸나요? — 예.
토끼를 잡아오라고 했나요? — 예.
(3) ◯

논리 탄탄

1 솔이가 가족을 찾아 가고 있어요. ○X 퀴즈를 풀어 가족이 있는 곳까지 선으로 길을 이어 보세요.

2 다음 코딩을 풀어 콩쥐가 만나려고 하는 인물이 누구인지 ○표 하세요.

  ▲ 심봉사 ▲ 우렁각시 ▲ 혹부리 영감 ▲ 산신령 ▲ 호랑이 ▲ 두꺼비 ▲ 심청

2주에는 무엇을 공부할까? ①

1일 주제 어휘 > 요리와 관련된 말

조리다
볶다
지지다 무치다
부치다
찌다
튀기다 데치다
삶다

너는 오징어를 데쳐. 난 초장을 만들게.

알겠습니다!

아니 이게 뭐야! 살짝만 데쳐야지. 푹 삶아서 못 먹겠네!

미안해, 누나!

2일 교과 어휘 국어 > 감상과 관련된 말

감상
관심
흥미
감동
교훈

짠! 어때 새로운 마술에 대한 감상은?

와아……

그게 다야?

아주 흥미로웠어.

3일 알쏭 어휘 > 좌석…

수군거리다 /
수근거리다

무릅쓰고 /
무릎쓰고

낳다/낫다

좌석/자석

4일 교과 어휘 과학 > 탐구와 관련된 말

탐구
실험
관찰
측정
조사

5일 한자 어휘 > 上 윗 상 下 아래 하

상의
상승
정상
하의
하강
지하수

주제 어휘 **1**

요리와 관련된 말

'부치다'와 관련된 음식은 어느 것인가요? ·· (   )

① 볶음밥

② 생선 조림

③ 빈대떡

④ 야채 튀김

⑤ 새우튀김

주제 어휘 **2**

요리와 관련된 말

'무치다'와 관련된 요리에는 △표, '튀기다'와 관련된 요리에는 ○표 하세요.

(1) 콩나물 무침

(   )

(2) 미역무침

(   )

(3) 새우튀김

(   )

(4) 야채 튀김

(   )

◑ 정답과 풀이 5쪽

2주

교과 어휘

3

[국어] 감상과 관련된 말

다음 빈칸에 공통으로 들어갈 낱말은 무엇인가요?·····················(   )

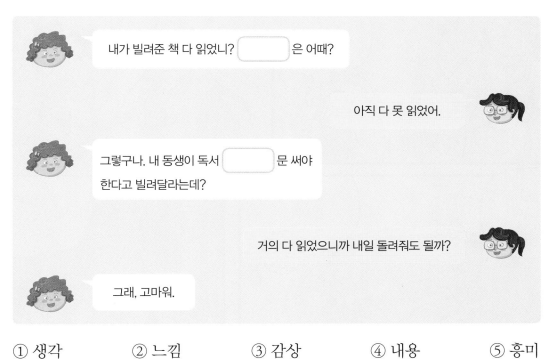

① 생각   ② 느낌   ③ 감상   ④ 내용   ⑤ 흥미

한자 어휘

4

上 윗 상   下 아래 하

다음 한자는 서로 어떤 관계인지 (   ) 안의 알맞은 말에 ○표 하세요.

上 下   · 上과 下는 서로 뜻이 (비슷한 / 반대인) 한자입니다.

요리와 관련된 말

우리도 동파육 만들어 먹자!

웬만하면 시켜 먹지?

먼저 삼겹살을 삶고~

보글 보글 보글

그동안 청경채를 데친다.

데친 게 아니라 푹 삶아서 다 풀어졌네.

혁

꺼낸 삼겹살은 기름에 튀긴다!

촤아악~

튀긴 삼겹살을 건진 다음 소스에 조린다!

빨리 먹자, 배고파~.

한심한 녀석! 완벽한 요리를 위해 좀 더 참아!

오늘의 어휘

요리와 관련된 말

조리다	볶다	지지다	무치다	부치다
↓	↓	↓	↓	↓
생선 조림	멸치 볶음	김치 지짐	콩나물 무침	부침개

오늘의 어휘

요리와 관련된 말

찌다	튀기다	데치다	삶다
↓	↓	↓	↓
찐만두	새우튀김	주꾸미 데침	삶은 계란

요리와 관련된 말

맛있는 음식을 먹다 보면 어떻게 만든 건지 궁금할 때가 있지? 요리와 관련된 말을 알아야 그 음식이 어떻게 만들어지는지 알 수 있어. 집에서 하는 요리와 관련된 말을 알아보자.

조리다 – 양념한 고기나 생선, 채소 등을 국물에 넣고 바짝 끓여서 양념이 배어들게 하다.

예 생선을 <u>조리다</u>, 멸치와 고추를 간장에 <u>조리다</u>.

> 조린 음식(조림)　　생선 조림, 장조림

생선 조림　　　　　　장조림

볶다 – 재료를 물기가 거의 없게 열을 가하여 이리저리 자주 저으며 익히다.

예 깨를 <u>볶다</u>, 땅콩을 <u>볶다</u>.

> 볶은 음식(볶음)　　볶음밥, 멸치 볶음

볶음밥　　　　　　　멸치 볶음

지지다 – 국물을 조금 붓고 끓여서 익히다.

예 김치를 <u>지지다</u>.

> 지진 음식　　　지진 김치, 지진 무

지진 김치　　　　　　지진 무

무치다 – 나물 따위에 갖은 양념을 넣고 골고루 한데 뒤섞다.

예 봄나물을 <u>무치다</u>.

> 무친 음식(무침)　　콩나물 무침, 미역무침

콩나물 무침　　　　　미역무침

누름적   빈대떡

부치다 – 프라이팬 따위에 기름을 바르고 열을 가하여 얇게 익혀 내다.
⑩ 명절에 전을 <u>부치다</u>.

부친 음식(부침)	빈대떡, 누름적

떡   만두

찌다 – 뜨거운 김으로 익히거나 데우다.
⑩ 시루에 떡을 <u>찌다</u>, 감자를 <u>찌다</u>, 만두를 <u>찌다</u>.

찐 음식	떡, 만두

새우튀김   야채 튀김

튀기다 – 끓는 기름에 넣어서 부풀어 나게 하다.
⑩ 닭을 <u>튀기다</u>, 만두를 기름에 <u>튀기다</u>.

튀긴 음식(튀김)	새우튀김, 야채 튀김

데친 오징어   데친 미나리

데치다 – 뜨거운 물에 넣어 살짝 익히다.
⑩ 나물을 <u>데치다</u>, 채소를 <u>데치다</u>.

데친 음식	데친 오징어, 데친 미나리

보쌈   국수

삶다 – 물에 넣고 끓이다.
⑩ 라면을 <u>삶다</u>, 국수를 <u>삶다</u>.

삶은 음식	국수, 삶은 달걀, 보쌈

2주

1 요리를 나타내는 낱말의 뜻을 알맞게 선으로 이으시오.

(1) 재료를 물기가 거의 없게 열을 가하여 이리저리 자주 저으며 익히다. •

• ① 볶다

(2) 양념한 재료를 국물에 넣고 바짝 끓여서 양념이 배어들게 하다. •

• ② 조리다

2 빈칸에 들어갈 알맞은 낱말을 보기에서 찾아 쓰시오.

보기

담근   부친   삶은   무친

(1) 저녁에는 직접 (   ) 보쌈을 먹었다.

(2) 비가 오면 기름에 (   ) 빈대떡이 생각난다.

(3) 나는 봄나물을 (   ) 반찬을 가장 좋아한다.

3 다음 음식들과 관련된 낱말은 무엇입니까? ·············· (   )

▲ 떡   ▲ 찐빵   ▲ 찐 감자

① 볶다   ② 삶다   ③ 찌다   ④ 지지다   ⑤ 무치다

4 다음 뜻과 관련된 요리를 한 가지 떠올려 쓰시오.

끓는 기름에 넣어서 부풀어 나게 하다.

(   )

5 '삶다'와 관련된 음식은 무엇입니까? ─────────────────────────── (   )

① 김치   ② 국수   ③ 누름적   ④ 장아찌   ⑤ 달걀말이

6 다음 십자말풀이를 해 보시오.

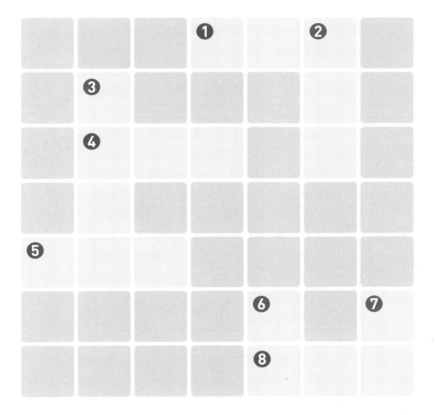

> **→ 가로**
> ❶ 고춧가루를 주재료로 해서 만든 붉은 색의 한국 고유의 양념.
> ❹ 나물 따위에 갖은 양념을 넣고 골고루 한데 뒤섞다.
> ❺ 물에 넣어 살짝 익히다.
> ❽ 프라이팬 따위에 기름을 바르고 빈대떡 따위의 음식을 익혀서 만들다.

> **↓ 세로**
> ❷ 간장에다 쇠고기를 넣고 조린 반찬.
> ❸ 열무(어린 무)로 담근 김치.
> ❻ 콩으로 만든 음식. 콩 물을 끓인 다음 소금이 녹은 물을 넣어 엉기게 하여 만든다.
> ❼ 물에 넣고 끓이다.

감상과 관련된 말

오늘의 어휘

감상

작품을 읽고 느낀 것, 생각한 것
└─ 감상 ─┘

感 想

느낄 감 생각 상

2주

오늘의 어휘

흥미 / 감동

- **흥미**: 재미있게 여김.
- **감동**: 마음이 움직일 만큼 크게 느낌.

감상 ≫ 교훈

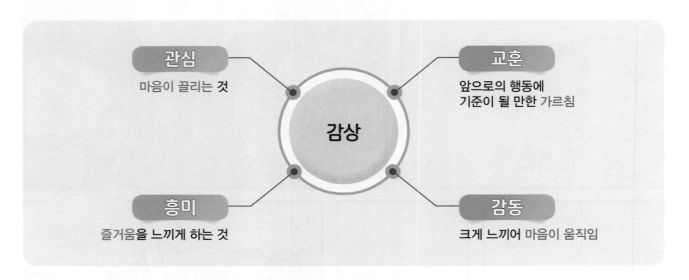

관심
마음이 끌리는 것

교훈
앞으로의 행동에
기준이 될 만한 가르침

감상

흥미
즐거움을 느끼게 하는 것

감동
크게 느끼어 마음이 움직임

감상

'감상'은 작품을 읽고 떠오른 생각이나 느낌을 뜻하는 말이야. 사람마다 끌리는 부분이나 흥미를 느끼는 부분, 감동을 받은 부분이 다를 수도 있기 때문에 작품에 대한 감상도 천차만별이지.

⑩ 책을 읽고 감상을 쓴 글을 '독서 감상문'이라고 합니다.

🔊 사람마다 감상이 다른 게 이것 때문이라고?

관심

어떤 것에 마음이 끌려 그것을 중심으로 바라보거나 생각할 때 '관심'이 있다고 표현해. '관심'은 작품을 받아들일 때에도 영향을 미치기 때문에, 시나 이야기 속에서 어떤 것에 관심을 가지느냐에 따라 여러 가지 감상이 나올 수 있어.

⑩ 도서관에서 관심 가는 책을 찾아보았습니다.

난 우주에
관심이 많으니
더 재미있네.

🔊 관심에 따라 달라진 감상을 이루는 것은?

흥미

'흥미'는 어떤 것에 즐거움을 느끼게 하는 재미야. 작품에 대한 감상을 말하거나 쓸 때, 어렵다고 생각한 적 있니? 그럴 때 가장 쉬운 방법은 바로 작품에서 어떤 점이 재미있었는지에 대해 먼저 떠올려 보는 거야.

예 사건이 해결되는 부분이 특히 흥미진진했습니다.

제목에서 큰 흥미를 느꼈어.

🔊 흥미 외에 작품에 대한 감상을 이루는 부분은?

정말 감동적인 책이야.

감동

영화나 책 등 작품을 보다가 저절로 눈물을 흘렸던 경험이 있을 거야. 이렇게 크게 느끼어 마음이 움직이는 것을 '감동'이라고 해.

예 주인공이 어려움을 이겨 내는 부분에서 큰 감동을 받았습니다.

🔊 감동 외에 작품에서 얻을 수 있는 것은?

교훈

'교훈'이란 앞으로의 행동이나 생활에 기준이 될 만한 가르침을 뜻하는 말이야. 작품을 통해 재미나 감동만 찾기보다는 교훈을 통해 배울 점도 떠올려 본다면 작품을 더욱 깊이 있게 이해할 수 있을 거야.

예 이 작품을 통해 지나친 욕심을 부리지 말자는 교훈을 얻었습니다.

이 책의 교훈
욕심을 부리지 말자.

1 다음은 무엇에 대한 설명입니까? ································· (   )

> 작품을 읽고 떠오른 생각이나 느낌을 말합니다. 작품에서 흥미를 느낀 부분이나 감동을 받은 부분, 작품을 통해 얻은 교훈 등이 있습니다.

① 감정   ② 감상   ③ 동기   ④ 관심   ⑤ 제목

2 다음 빈칸에 들어갈 알맞은 낱말에 ○표 하시오.

> 사람마다 경험이나 가치관이 다르기 때문에, 작품을 읽을 때 어떤 점에 [   ]을/를 가질지 달라집니다.

(관심 / 관찰)

3 다음 대화의 빈칸에 공통으로 들어갈 말로 알맞은 것은 무엇입니까? ··········· (   )

> 선생님: 이 이야기를 읽으며 어떤 부분에서 가장 [   ]를 느꼈니?
> 은지: 저는 주인공이 고민을 해결하는 부분에서 [   ]를 느꼈습니다.
> 유나: 저는 이야기의 배경이 바뀌지 않는 부분이 가장 [   ]로웠습니다.

① 동기   ② 주제   ③ 흥미   ④ 인물   ⑤ 사건

4 다음 표의 '배경'과 '교훈' 중 알맞은 말에 ○표 하시오.

이야기의 내용	욕심쟁이 노인이 젊어지는 샘물을 너무 많이 마셔서 아기가 되어 버렸다.
이야기의 (배경 / 교훈)	지나친 욕심을 부리지 말아야겠다.

[5~7] 다음 독서 감상문을 읽고 물음에 답하시오.

도서관을 구경하다가 눈에 띄는 제목이 있어서 이 책을 읽게 되었다. 책의 제목은 『소가 된 게으름뱅이』이다.

옛날 어느 마을에 몹시 게으른 청년이 있었다. 그 사람은 매일 놀기만 하고 일을 하기 싫어했다. 이 부분을 보면서 공부는 안 하고 매일 놀고만 싶었던 내 모습이 저절로 떠올라 부끄럽기도 했다.

㉠어느 날 청년은 소의 탈을 쓰고 잠들었다가 진짜 소로 변해 버렸다. 소가 된 게으름뱅이는 매일매일 농사일을 하느라 몹시 힘들었다. 청년은 게으름을 피우며 살았던 것을 반성했다. ㉡나도 이 부분에서 앞으로 게으름을 부리지 말아야겠다고 생각했다.

㉢소가 된 게으름뱅이가 죽으려고 무를 먹는 장면은 슬프다기보다는 재미있었다. 무는 맛있는 채소이고, 해롭지도 않은데 소가 먹는다고 죽을 리가 없다고 생각했다. 결국 청년은 무를 먹고 사람으로 되돌아왔다. 참 다행이라고 생각했다.

㉣나도 게으름만 피우다가는 언제 소로 변할지 모르니, 앞으로 부지런한 사람이 되어야겠다고 다짐했다.

5 ㉠~㉣ 중, '감상'이 <u>아닌</u> 것은 어느 것입니까?

(   )

6 ㉢은 무엇에 해당하는지 **보기** 에서 골라 ○표 하시오.

> **보기**
>
> 책의 내용   흥미를 느낀 부분   책에서 얻은 교훈

7 ㉣은 무엇에 해당합니까? ·················· (   )

① 제목   ② 교훈   ③ 내용

④ 장면   ⑤ 흥미

3일

알쏭 어휘

❶ 수군거리다 / 수근거리다

Q '수군거리다'가 맞을까요, '수근거리다'가 맞을까요?

A 수군거리다 (　　○　　)

남이 알아듣지 못하도록 낮은 목소리로 가만가만 이야기하는 것을 '수군거리다'라고 해요. '수군대다'라고 해도 같은 뜻으로 쓸 수 있어요. '수근거리다'라고 하면 틀리니 조심해야 하지요.

예 시장에서 상인들이 수군거리고 있었습니다.

② 무릅쓰고 / 무릎쓰고

Q '무릅쓰고'가 맞을까요, '무릎쓰고'가 맞을까요?

A 무릅쓰고 (　○　)

힘들고 어려운 일을 참고 견딘다는 뜻으로 '무릅쓰다'라는 말을 써요. 몸의 한 부분을 가리키는 '무릎'을 넣어 '무릎쓰다'라고 쓰면 틀리니까 잘 기억해야 해요.

㉔ 부끄러움을 <u>무릅쓰고</u> 싸운 친구에게 먼저 말을 걸었습니다.

③ 낳다 / 낫다

Q '낳다'와 '낫다'를 어떻게 구별할 수 있을까요?

A 감기가 낫다(○) / 알을 낳다(○)

'낳다'는 사람이나 동물이 아이나 새끼를 낳는다는 뜻이고, '낫다'는 병이나 상처가 나아졌다는 뜻이니까 '감기가 낫다'라고 해야 맞아요. '이것보다 저것이 더 낫다.'처럼 서로 비교하여 하나가 더 좋을 때도 '낫다'를 쓰지요.

예 푹 잤더니 감기가 싹 나았습니다.

④ 좌석 / 자석

Q '좌석'이 맞을까요, '자석'이 맞을까요?

이 차 뒷자석도 좀 보여 주세요.

아무리 찾아도 이 차의 뒷좌석에는 자석이 없습니다!

 A 뒷**좌석**에 앉으세요. (○   )

'좌석'은 앉는 자리라는 뜻을 가진 낱말이에요. 차 안에 앉을 곳이나, 극장 등 사람이 앉는 곳에 쓸 수 있는 말이지요. 철을 당기는 힘이 있는 '자석'으로 잘못 쓰지 않도록 주의해요.

예 극장에 남는 <u>좌석</u>이 없습니다.

예 냉장고 문에도 <u>자석</u>이 들어 있습니다.

그래도 차는 사실 거죠?

네······.

1 밑줄 그은 말 중, 고쳐야 하는 낱말을 두 가지 고르시오. ⋯⋯⋯⋯⋯⋯ (,   )

① 너는 <u>뒷좌석</u>에 앉을래?

② <u>수근거리지</u> 말고 조용히 해.

③ 극장에 남은 <u>자석</u>이 총 몇 자리야?

④ 암탉이 탐스러운 알을 세 개나 <u>낳았다</u>.

⑤ 마을 사람들이 손님을 보고 <u>수군거리기</u> 시작했다.

2 다음 대화에서 '낳다'나 '낫다'를 바르게 사용한 사람의 이름을 쓰시오.

> 영천: 유나야, 감기는 다 낳았니?
>
> 유나: 푹 쉬니까 금방 낫더라.
>
> 유정: 다행이다. 내 신발 어때? 더 낳지?
>
> 민영: 예쁘다. 이 신발이 더 낳은데?
>
> 은지: 아니야, 나는 전의 그 신발이 더 낳아.

(   )

3 다음 뜻을 나타내는 바른 낱말에 ○표 하시오.

(1) 병이나 상처가 고쳐져 원래대로 되다. (낳다 / 낫다)

(2) 남이 알아듣지 못하도록 낮은 목소리로 자꾸 가만가만 이야기하다.

(수근거리다 / 수군거리다)

4 밑줄 그은 낱말을 바르게 고쳐 쓰시오.

(1) 지각을 <u>무릎쓰고</u> 아침밥을 맛있게 먹었다.

(   )

(2) 귀여운 동물 모양의 <u>좌석</u>을 냉장고에 붙였다.

(   )

5 다음 대화에서 틀린 낱말을 찾아 바르게 고친 것은 무엇입니까?⋯⋯⋯⋯⋯⋯⋯⋯⋯ (   )

> 동철: 뭘 그렇게 수군거리고 있어?
>
> 민영: 보고 싶은 영화 좌석이 없어서…….
>
> 영천: 그냥 다른 영화를 보는 게 낳을 거 같아.

① 좌석 → 자석　　　　　　　　② 낳을 → 나을

③ 낳을 → 낫을　　　　　　　　④ 수군거리고 → 숙운거리고

⑤ 수군거리고 → 수근거리고

6 밑줄 그은 말 중, 알맞은 것은 어느 것입니까?⋯⋯⋯⋯⋯⋯⋯⋯⋯⋯⋯⋯⋯⋯⋯ (   )

① 오늘 나은 알이라 아주 신선합니다.

② 차 뒷자석에 휴대 전화를 두고 왔어요.

③ 다리 낳은 지 얼마나 됐다고 축구를 해?

④ 부끄러움을 무릅쓰고 손을 들어 발표했습니다.

⑤ 이순신 장군은 죽음을 무릎쓰고 용감히 싸웠습니다.

7 보기 의 낱말이나 표현 중 바른 것을 모두 골라 ○표 하시오.

> **보기**
>
> | 앞좌석 | 무릎쓰다 | 알을 낳다 |
> | 병이 낫다 | 수근거리다 | 뒷좌석 |

8 다음 낱말의 알맞은 뜻을 찾아 ○표 하시오.

(1)	무릅쓰다	① 힘들고 어려운 일을 참고 견디다.	
		② 무릎을 사용하여 서 있다.	
(2)	자석	③ 앉을 수 있게 마련된 자리.	
		④ 쇠를 끌어당기는 힘을 가진 물체.	

탐구와 관련된 말

오늘의 어휘

탐구와 관련된 말

├ 실험: 실제로 체험해 봄.
└ 관찰: 주의 깊게 보고(관) 살핌(찰).

實　驗
열매 실　시험 험
실제로 해 봄.

오늘의 어휘

탐구와 관련된 말

- **조사**: 자세히 살펴보거나 찾아봄. **예** 인터넷을 통해 조사를 하였습니다.
- **측정**: 일정한 양을 기준으로 하여 같은 종류의 다른 양의 크기를 잼.

탐구 » 조사

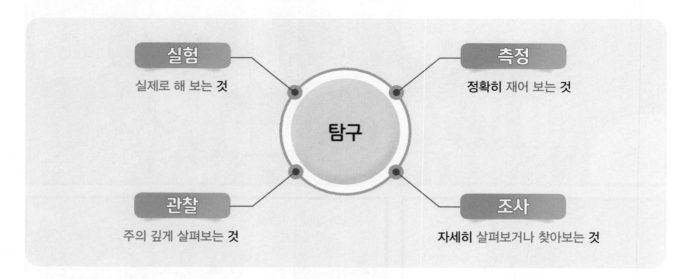

실험
실제로 해 보는 것

측정
정확히 재어 보는 것

탐구

관찰
주의 깊게 살펴보는 것

조사
자세히 살펴보거나 찾아보는 것

탐구

'탐구'의 '탐(探)'은 찾는다는 뜻, '구(究)'는 연구한다는 뜻이야. 그래서 '탐구'는 어떤 것을 깊이 파고들며 연구하는 것을 말해. '탐구' 과정을 통해 이제까지 알아낸 과학적인 사실들을 우리가 배우는 거야.

㉠ 과학 <u>탐구</u>에 평생을 바친 학자가 노벨상을 받았습니다.

탐구 주제는
○○입니다.

◁》 과학적인 탐구를 하는 방법에는 뭐가 있을까?

실험

과학을 탐구할 때에 머릿속에서만 생각에 생각을 거듭한다면, 머릿속이 금방 복잡해지겠지? 그래서 '실험'을 통해 머릿속으로만 생각하던 것을 실제로 해 볼 수 있지.

㉠ <u>실험</u>을 할 때에는 다치지 않도록 조심합니다.

◁》 실험을 할 때 필요한 것은?

관찰

주의 깊게 살펴보는 것을 '관찰'이라고 해. 과학 탐구를 위해 실험을 할 때, 제대로 관찰하지 않으면 실험을 하는 보람이 없겠지? 관찰 도구로는 돋보기, 현미경 등이 있어.

(예) 식물을 자세히 <u>관찰</u>하여 애벌레를 찾았습니다.

🔊 관찰한 것을 정확하게 재어야겠지?

측정

실험을 하고 관찰을 할 때, 정확한 '측정'이 중요하지. 여기서 '측정'이란, 어떤 것을 기준으로 다른 종류의 양이나 크기를 재는 것을 말해. 온도계나 저울, 자 같은 도구들로 원하는 값을 측정할 수 있어.

(예) 물의 온도를 <u>측정</u>하니 섭씨 60도가 넘었습니다.

🔊 측정 외에 중요한 탐구 방법은?

조사

'조사'는 어떤 내용을 알아보기 위해 자세히 살펴보거나 찾아보는 것을 뜻해. '조사'를 할 때에는 관련 책이나 자료를 찾아볼 수 있지.

조사할 게 너무 많아!

(예) 도서관에 가서 다른 실험에 대해 <u>조사</u>해 보았습니다.

1 다음은 무엇에 대한 설명입니까? ··· (   )

> 어떤 것을 깊이 파고들며 연구하는 것으로, '과학 ○○', '학문 ○○'와 같이 쓰는 말이다.

① 도구   ② 탐구   ③ 실험
④ 관찰   ⑤ 측정

2 다음 빈칸에 들어갈 알맞은 낱말은 무엇인지 ○표 하시오.

> 운동이 건강에 미치는 영향을 알아보기 위해 [   ]을 하기로 했다. 1조는 1개월 동안 운동을 전혀 하지 않고, 2조는 1개월 동안 꾸준히 운동을 한 다음에 혈압과 심박수를 재어 보기로 했다.

(실험 / 체험)

3 다음 중 관찰 도구가 <u>아닌</u> 것은 어느 것입니까?

ㄱ

▲ 돋보기

ㄴ

▲ 현미경

ㄷ

▲ 알콜 램프

(   )

4 물의 온도를 측정할 때 필요한 도구는 무엇입니까?

> ㉠ 줄자   ㉡ 저울   ㉢ 온도계

(   )

5 '조사'의 뜻으로 알맞은 것은 무엇입니까?································(   )

① 실제로 해 보는 것.

② 주의 깊게 바라보는 것.

③ 깊이 파고들며 연구하는 것.

④ 양이나 크기를 재어 보는 것.

⑤ 어떤 내용을 알아보기 위해 자세히 살펴보거나 찾아보는 것.

6 ㉠~㉢은 무엇을 할 때 필요한 도구들인지 (   ) 안의 알맞은 말에 ○표 하시오.

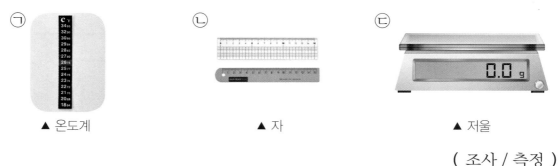

㉠ ▲ 온도계   ㉡ ▲ 자   ㉢ ▲ 저울

(조사 / 측정)

7 다음 중, 과학 탐구 활동과 거리가 먼 것은 어느 것입니까?·····················(   )

① 관찰   ② 조사   ③ 실험

④ 상상   ⑤ 측정

8 ㉠~㉢ 중, 가까이에서도 보이지 않는 아주 작은 것을 관찰할 때에 필요한 도구는 어느 것입니까?

㉠   ㉡   ㉢

(   )

上이 들어간 말

上

윗 상

'상(上)'은 평평하고 넓은 땅 위에 높은 하늘이 있다는 것에서 '위'라는 뜻을 가지게 되었어요.

급수 | 7급　　부수 | 一　　획수 | 총 3획

QR을 보며 따라 써요!

上 윗 상

🔍 한자 획순을 알아보아요.

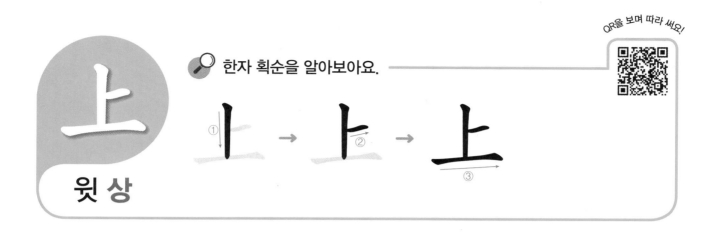

2주

한자를 쓰며 익혀요~!

상 의 　몸통에 걸치는 옷. 윗옷.

○ 상의가 세 벌 있습니다.

상의

上	衣
윗 상	옷 의

상 승 　낮은 데서 위로 올라감.

○ 난로를 켜니 실내 온도가 상승했습니다.

上	昇
윗 상	오를 승

정 **상** 　산의 맨 꼭대기. 최고의 상태.

○ 지리산 정상까지 올라가고 싶습니다.

정상

頂	上
정수리 정	윗 상

下가 들어간 말

아래 **하**

'하(下)'는 평평하고 넓은 땅 아래를 가리키는 모습에서 '아래'라는 뜻을 가지게 된 한자예요.

급수 | 7급　　부수 | 一　　획수 | 총 3획

랄랄라~ 누군지 몰라도 참 잘생겼구나.

하의가 좀 이상한가?

그래, 딱 좋구나.

삐친 머리는~

깨끗한 지하수를 바르면 돼!

치덕　치덕

하하하, 렛츠 고!

앗, 추워!

후웅

기온이 갑자기 하강했잖아.

下
아래 하

🔍 한자 획순을 알아보아요.

QR을 보며 따라 써요!

①→下 → ②下 → 下③

한자를 쓰며 익혀요~!

下	衣
아래 하	옷 의

하 의 허리 아래쪽에 입는 옷.

♻ 라면을 먹다가 하의에 국물을 흘렸습니다.

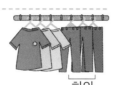
하의

하 강 높은 곳에서 아래로 향하여 내려옴.

♻ 놀이 기구가 하강하기 시작했습니다.

下	降
아래 하	내릴 강

지 하 수 땅 아래로 흐르는 물.

♻ 가뭄이 심해서 지하수도 모두 말라 버렸습니다

地	下	水
땅 지	아래 하	물 수

1 ( ) 안에 알맞은 낱말을 선으로 이으시오.

(1) | 잠바는 ( )입니다. | ·   · ①   하의

(2) | 바지나 치마와 같이 아래에 입는 옷을 ( )라고 한다. | ·   · ②   상의

2 다음 중 상(上) 자가 들어간 낱말이 <u>아닌</u> 것은 무엇입니까?·················· ( )

① 인상   ② 상승   ③ 상의   ④ 정상   ⑤ 상처

3 빈칸에 들어갈 말을 보기 에서 찾아 쓰시오.

보기
| 상의   정상   지하수   하강 |

(1) 산 ☐ ☐ 에 올라가니 뿌듯했습니다.

(2) 헬리콥터가 서서히 ☐ ☐ 하기 시작했습니다.

(3) 겨울이 되자 낮에도 추워서 두꺼운 ☐ ☐ 를 입었습니다.

4 다음 낱말과 반대되는 뜻을 가진 낱말을 쓰시오.

(1)  상 승 ↔ ☐ ☐

(2) 하 의 ↔ ☐ ☐

5 다음 밑줄 그은 한자어의 음을 쓰시오.

(1) 낮이 되자 기온이 조금 <u>上昇</u>했습니다. ···→ (   )

(2) 해가 지면서 기온이 점점 <u>下降</u>하기 시작했습니다. ···→ (   )

6 다음 밑줄 그은 한자어를 보기 에서 찾아 번호를 쓰시오.

보기

㉠ 引上   ㉡ 頂上   ㉢ 地下   ㉣ 地上

(1) 에베레스트산 <u>정상</u>의 높이는 8,000미터가 넘습니다.
···→ (   )

(2) 전철역 <u>지하</u>에 새로 생긴 가게들이 많습니다.
···→ (   )

7 보기 와 같이 다음 한자어의 음을 완성하여 쓰시오.

보기

태어난 날 <u>生日</u> ···→ [생] [일]

(1) 위에 입는 옷 <u>上衣</u> ···→ [   ] 의

(2) 아래쪽에 입는 옷 <u>下衣</u> ···→ [   ] 의

8 다음 뜻을 가진 '지하수'를 한자로 쓰시오.

지하수
• 뜻 : 땅 밑으로 흐르는 물.

1 오른쪽 그림의 요리는 어떤 방법으로 만든 것입니까? ……( )

▲ 떡

① 볶다　② 찌다　③ 지지다
④ 데치다　⑤ 튀기다

2 '삶다'와 관련이 있는 요리는 어느 것입니까? …………………… ( )

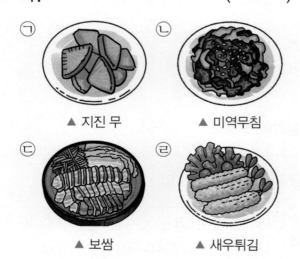

ㄱ ▲ 지진 무　　ㄴ ▲ 미역무침

ㄷ ▲ 보쌈　　ㄹ ▲ 새우튀김

3 다음 요리에는 어떤 요리 방법을 사용하였는지 보기 에서 골라 쓰시오.

보기

조리다　　튀기다　　데치다

(1) 장조림 ( )

(2) 새우튀김 ( )

4 ㉠~㉣ 중, '감상'은 어느 것입니까?

㉠도서관을 구경하다가 눈에 띄는 제목이 있어서 이 책을 읽게 되었다. 책의 제목은 『소가 된 게으름뱅이』이다.
㉡옛날 어느 마을에 몹시 게으른 청년이 있었다. ㉢그 사람은 매일 놀기만 하고 일을 하기 싫어했다. ㉣이 부분을 보면서 공부는 안 하고 매일 놀고만 싶었던 내 모습이 저절로 떠오르면서 부끄럽기도 했다.

( )

5 친구들이 발표한 내용과 관련이 있는 것을 찾아 선으로 이으시오.

영천: 나도 이 부분에서 앞으로 게으름을 부리지 말아야겠다고 생각했습니다.
은지: 소가 된 게으름뱅이가 무를 먹는 장면이 재미있었습니다.
민영: 소가 된 게으름뱅이가 깨달음을 얻는 장면이 감동적이었습니다.

(1) 영천 •　　　• ㉠ 흥미
(2) 은지 •　　　• ㉡ 감동
(3) 민영 •　　　• ㉢ 교훈

6 밑줄 그은 낱말 중, 알맞게 사용한 것은 무엇입니까? ·················· (   )

① 내가 끓인 라면이 더 낳지?

② 감기 빨리 낳아서 나랑 놀러 가자.

③ 수군거리지만 말고 제대로 얘기해 보세요.

④ 불편함을 무릎쓰고 도와주셔서 고맙습니다.

⑤ 장난감에 좌석이 들어 있어서 철판에 잘 붙는다니까?

7 다음 글에서 틀린 낱말에 밑줄을 긋고 알맞게 고쳐 쓰시오.

관람 안내문

• 정해진 자석에 앉아 주세요.

• 휴대 전화를 꺼 주세요.

• 앞자리를 발로 차지 말아 주세요.

(   )

8 오른쪽 사진의 도구는 무엇을 할 때 필요한 것인지 기호를 쓰시오.

ㄱ 측정   ㄴ 조사   ㄷ 관찰

(   )

9 다음 중 '下'를 쓸 수 없는 낱말 카드의 기호를 쓰시오. ·················· (   )

ㄱ ◯ 의

ㄴ ◯ 강

ㄷ 김 ◯

ㄹ 지 ◯ 수

10 다음 밑줄 그은 부분에 공통으로 들어갈 한자는 어느 것입니까? ··············· (   )

상의   정상

① 正   ② 上
③ 王   ④ 土
⑤ 止

속담 플러스

번갯불에 콩 볶아 먹겠다

번개가 번쩍 하고 치는 것을 본 적이 있나요? 빠르게 치고 사라지는 번갯불에 콩을 볶아야 하니 얼마나 더 빨라야겠어요? 이처럼 행동이 매우 빠르거나 당장 어떤 일을 해치우고 싶어 조바심을 내는 것을 번갯불에 콩 볶아 먹겠다고 해요.

사고 쑥쑥

1 다음 순서도에 따라 만들어지는 요리는 무엇일지 [보기]에서 찾아 기호를 쓰세요.

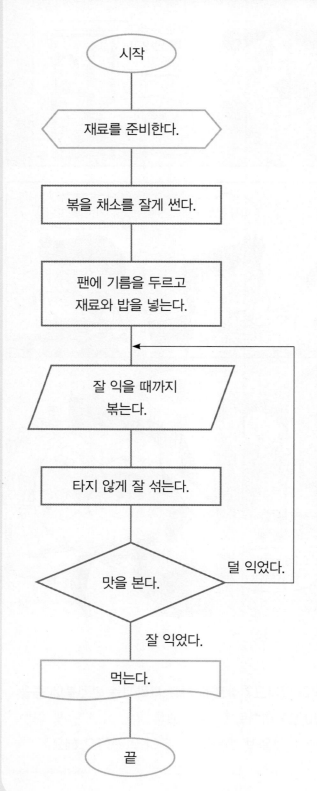

보기

생선 조림	누름적
볶음밥	떡
지진 김치	새우튀김
콩나물 무침	데친 오징어
빈대떡	야채 튀김

(   )

2 유나가 놀이공원에 도착하려면 안내판에 적힌 문제를 맞혀야 해요. 유나가 밟아야 하는 징검돌을 순서대로 쓰세요.

첫 번째 징검돌
작품을 읽고 떠오른 생각이나 느낌.

두 번째 징검돌
즐거움을 느끼게 하는 것.

세 번째 징검돌
크게 느끼어 마음이 움직임.

네 번째 징검돌
살아가는 데 기준이 될 만한 가르침.

글쓴이 · 교훈 · 제목 · 감동 · 주제 · 감상 · 흥미

감상 ➡ ( )( ) ➡ ( )( ) ➡ ( )( )

논리 탄탄

1 영천이가 공을 몰고 운동장에 가려고 해요. 갈림길에서 알맞은 답을 찾으며 운동장에 가서 골을 넣어 보세요.

2

다음과 같은 방법으로 아이들이 코딩 규칙에 따라 움직여요. 도착한 칸에 있는 한자에 따라 점수를 얻는다면, 누구의 점수가 가장 높을지 이름을 쓰세요.

[코딩 명령어]

↓ 아래로 한 칸 이동   ↑ 위로 한 칸 이동

← 왼쪽으로 한 칸 이동   → 오른쪽으로 한 칸 이동

[점수] 도착한 칸의 한자가 上이면 10점, 中이면 6점, 下이면 2점을 얻습니다.

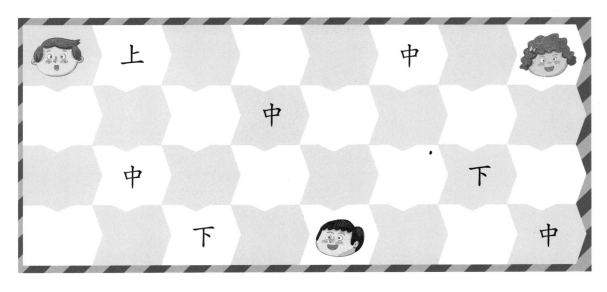

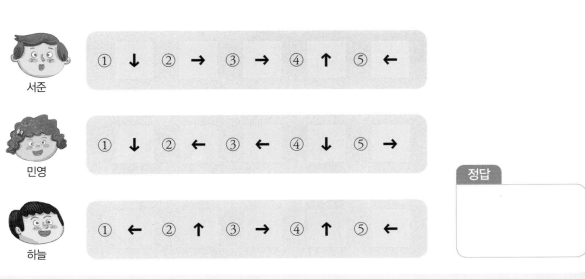

서준   ① ↓ ② → ③ → ④ ↑ ⑤ ←

민영   ① ↓ ② ← ③ ← ④ ↓ ⑤ →

하늘   ① ← ② ↑ ③ → ④ ↑ ⑤ ←

정답

1일 주제 어휘 > 접두사·접미사가 붙은 말

풋- / 맨-
헛- / 돌-
덧-
-꾼 / -질
-쟁이 / -새
-내기

2일 교과 어휘 국어 > 옛이야기의 등장인물

사또 / 이방
양반 / 머슴
도령 / 아씨
산신령 / 나무꾼
옥황상제 / 선녀
도깨비 / 농부

3일 알쏭 어휘 > 좋네요 …

만들려고 / 만드려고
좋네요 / 좋으네요
안 돼요 / 안 되요
한창 / 한참

4일 교과 어휘 사회 > 지형과 관련된 말

산지
평야
하천
해안
섬

5일 한자 어휘 > 生 날 생 日 날 일

생명
생일
평생
일출
일상
휴일

주제 어휘
1 접두사·접미사가 붙은 말

낱말의 뜻을 참고하여 밑줄 그은 부분의 뜻이 무엇일지 알맞은 것을 골라 ○표 하세요.

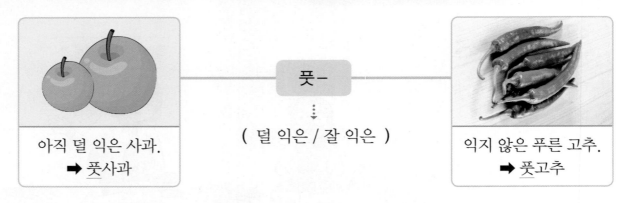

아직 덜 익은 사과.
➡ 풋사과

풋 –
⋮
(덜 익은 / 잘 익은)

익지 않은 푸른 고추.
➡ 풋고추

교과 어휘
2 [국어] 옛이야기의 등장인물

친구들이 말하는 옛이야기의 등장인물은 누구일지 알맞은 낱말을 골라 ○표 하세요.

(나무꾼 / 산신령)

[사회] 지형과 관련된 말

사진에 나오는 지형의 모습을 알맞게 설명한 것에 ○표 하세요.

(1)	평평하고 넓은 들판	
(2)	바다로 둘러싸인 땅	
(3)	높은 산들이 많은 지대	

生 날 생 日 날 일

빈칸에 공통으로 들어갈 글자를 쓰세요.

해가 떠오름: ☐출   쉬는 날: 휴☐

1일

접두사·접미사가 붙은 말

요즘 내가 좀 무리했나?

쿵~

헉! 누나! 얼굴이……. 귀, 귀신!

뭐? 귀신?

하긴 요즘 헛것이 보이고 제정신이 아니었지.

깜짝

안녕…

내, 내가 보이니?

밥도 안 먹고 군것질만 하더라니…….

어머, 벌써 다 먹었네.

더 이상은 안 되겠어. 건강 회복 프로젝트 시작!

짠! 새내기 요리사가 준비한 야생 돌미나리!

오늘의 어휘

접두사가 붙은 말

접두사는 어떤 말 앞에 붙어서 일정한 뜻을 더해 주는 말.

예 헛것   돌미나리   풋사과
　 └→이유 없는. └→야생으로 자라는. └→덜 익은.

오늘의 어휘

접미사가 붙은 말

접미사는 어떤 말 뒤에 붙어서 일정한 뜻을 더해 주는 말.

예 새내기　　　　　　　불평쟁이　　　　　　　군것질
　　↳그러한 특성을 가진 사람.　↳그러한 특성이 많은 사람.　↳도구나 신체를 이용한 일.

접두사가 붙은 말

어떤 말 앞에 붙어서 일정한 뜻을 더해 주는 말을 접두사라고 해. 그 접두사가 무슨 뜻인지 알고 있으면 접두사가 붙은 낱말의 뜻을 알 수 있지. 접두사가 붙은 말에는 어떤 것들이 있는지 그 뜻과 함께 알아볼까?

풋-
덜 익은.
처음 나온.
— 풋사과
— 풋고추
— 풋감

맨-
다른 것이 없는.
— 맨주먹
— 맨발
— 맨손

헛-
이유 없는.
보람 없는.
— 헛소리
— 헛수고
— 헛일

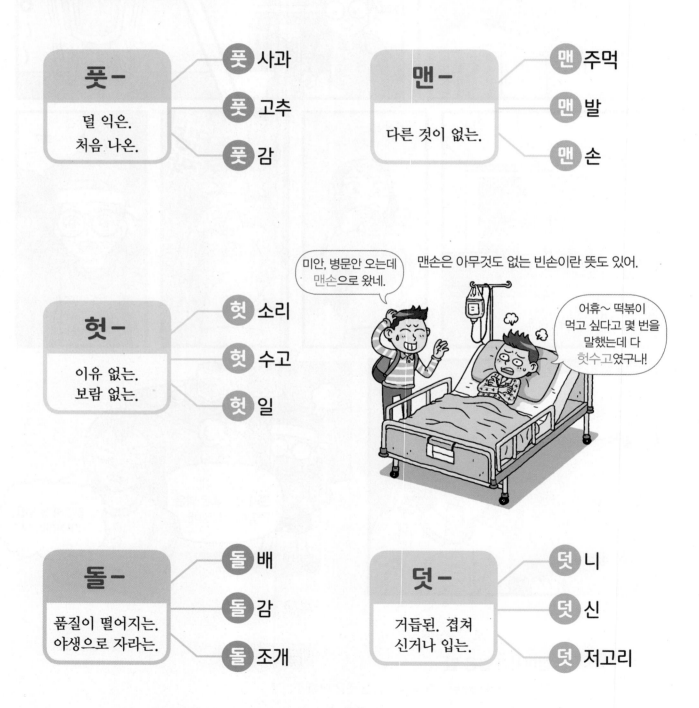

미안, 병문안 오는데 맨손으로 왔네.

맨손은 아무것도 없는 빈손이란 뜻도 있어.

어휴~ 떡볶이 먹고 싶다고 몇 번을 말했는데 다 헛수고였구나!

돌-
품질이 떨어지는.
야생으로 자라는.
— 돌배
— 돌감
— 돌조개

덧-
거듭된. 겹쳐
신거나 입는.
— 덧니
— 덧신
— 덧저고리

접미사가 붙은 말

어떤 말 뒤에 붙어서 일정한 뜻을 더해 주는 말을 접미사라고 해. 그 접미사가 무슨 뜻인지 알고 있으면 접미사가 붙은 낱말의 뜻을 짐작할 수 있지. 접미사가 붙은 말에는 어떤 것들이 있는지 그 뜻과 함께 알아볼까?

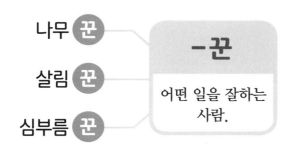

나무 꾼
살림 꾼
심부름 꾼

-꾼
어떤 일을 잘하는 사람.

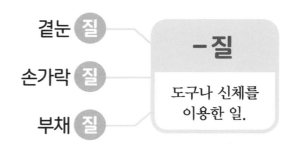

곁눈 질
손가락 질
부채 질

-질
도구나 신체를 이용한 일.

겁 쟁 이
욕심 쟁 이
고집 쟁 이

-쟁이
그러한 특성이 많은 사람.

손가락질은 남을 흉보는 짓이어서 나쁜 뜻으로 쓰여.

이 욕심쟁이! 그러니까 네가 손가락질을 당하지!

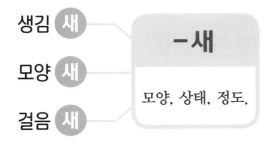

생김 새
모양 새
걸음 새

-새
모양, 상태, 정도.

새 내 기
서울 내 기
시골 내 기

-내기
그러한 특성이 있는. 그 지역 특색이 있는.

1 '사과' 앞에 '풋-'이 붙으면 낱말에 어떤 뜻을 더해 줍니까?·············(   )

① 거듭된.   ② 덜 익은.

③ 보람 없는.   ④ 다른 것이 없는.

⑤ 품질이 떨어지는.

2 '보람 없는'이라는 뜻이 들어 있지 않은 낱말은 어느 것입니까?···········(   )

① 헛일   ② 헛소리

③ 헛수고   ④ 헛걸음

⑤ 헛개나무

3 접미사가 붙은 말을 잘못 사용한 친구는 누구인지 이름을 쓰시오.

> 수진: 우리 삼촌은 1등 살림꾼입니다.
> 태호: 내 동생은 정말 못말리는 욕심장이입니다.
> 민상: 이번에 새로 산 신발의 생김새가 아주 특이합니다.

(   )

4 '모양, 상태, 정도'를 뜻하는 접미사는 무엇입니까?················(   )

① -질   ② -꾼   ③ -새   ④ -쟁이   ⑤ -내기

5 다음 접두사와 접미사의 뜻으로 알맞은 것을 찾아 선으로 이으시오.

(1) 돌-   •   •①   겹쳐 신거나 입는.

(2) 덧-   •   •②   야생으로 자라는.

(3) -꾼   •   •③   어떤 일을 잘하는 사람.

6 접두사 '맨-'은 어떤 뜻을 더해 주는지 알맞은 것에 ○표 하시오.

(1) 다른 것이 없는. (　　　　)　　　　　(2) 도구를 이용한 일. (　　　　)

7 다음에서 설명하는 낱말을 말 상자의 가로, 세로, 대각선에서 찾아 ○표 하시오.

① 덜 익은 고추.
② 다른 물건을 쥐지 않은 손.
③ 아무 보람도 없이 한 수고.
④ 품질이 떨어지는 배.
⑤ 겁이 많은 사람.
⑥ 부채를 흔들어 바람을 일으키는 일.

옛이야기의 등장인물

오늘의 어휘

사또 / 이방 / 아씨

• 사또는 옛날에 백성들이 자기 고을을 다스리던 관리를 높여 부르는 말이고, 이방은 사또 밑에서 일하던 관리 중 하나. 예 "여봐라, 거기 이방 있느냐?" / "예, 사또!"

• 아씨는 아랫사람들이 젊은 부녀자를 높여 이르는 말.

오늘의 어휘

머슴 / 선녀

• 머슴은 대가를 받고 남의 집에서 농사일과 집안일을 해 주던 남자.
　예 그는 평생 남의 집 머슴 노릇을 했다.
• 선녀는 옛날이야기에서, 신선 세계에 산다고 하는 여자.

옛이야기의 등장인물

우리나라에 전해 내려오는 옛이야기에는 요즘에 볼 수 없는 여러 인물들이 등장하지. 신분에 따라 사람을 구분하던 옛날에 어떤 사람들이 살았는지를 엿볼 수 있어.

 사또

백성들이 자기 고을을 다스리던 관리를 높여 부르는 말.
㉠ 사또, 올해 무 농사가 잘됐습니다.

 이방

고을에서 사또 밑에서 일하던 하급 관리 중 하나.
㉠ 이방은 사또에게 고개를 숙였어요.

이방! 돌갓을 써 보니 어떤가? 이제야 머리가 숙어지나?

사또, 잘못했습니다!

먹여 주고, 입혀 주고, 재워 주기만 하면 돈은 받지 않고 일하겠습니다.

오호라! 돈을 안 받겠단 말이지?

 양반

옛날에 지배층을 이루던 신분.
㉠ 그 양반에게는 예쁜 딸이 있었어요.

 머슴

남의 집에서 대가를 받고 농사일과 집안일을 해 주던 남자.
㉠ 그 부잣집엔 머슴만 30명이 넘게 있었어요.

 도령

결혼하지 않은 성인 남자. 〈높임말〉 도련님
㉠ 이 댁 도령도 혼인할 나이가 되었지요?

 아씨

아랫사람들이 젊은 부녀자를 높여 이르는 말.
㉠ 아씨, 저녁 드실 시간이에요.

저기 서 있는 도령은 누구일까?

아씨, 제가 누군지 알아 올까요?

우리나라의 옛이야기에는 산신령, 선녀, 도깨비 등 현실에서 만날 수 없는 상상 속의 인물들이 등장하는 일도 많아. 이런 인물들을 통해 우리 조상들의 상상력을 알 수 있을 거야.

 산신령

산을 지키고 다스리는 신.
㉐ 어디선가 산신령이 나타났어요.

나무꾼

산에서 땔나무를 구해서 파는 것을 직업으로 하는 사람.
㉐ 나무꾼은 깜짝 놀라 뒤로 넘어졌어요.

 옥황상제

우주 만물을 만들고 다스린다는 신.
㉐ 저는 옥황상제의 명을 받고 땅에 내려왔습니다.

 선녀

신선 세계에 산다고 하는 여자.
㉐ 이곳은 선녀가 내려왔다는 전설이 있는 연못이야.

 도깨비

머리에 뿔이 나고 방망이를 갖고 다니는, 사람 모양의 귀신.
㉐ 도깨비가 방망이를 두드리자 보물이 쏟아졌어요.

 농부

농사 짓는 일을 직업으로 하는 사람.
㉐ 농부는 농사가 잘되어서 기분이 좋았어요.

1 옛이야기의 등장인물 중 다음 설명에 해당하는 사람은 누구입니까?·············(   )

> 옛날에 백성들이 자기 고을을 다스리던 관리를 높여 부르는 말.

① 양반   ② 이방   ③ 도령   ④ 사또   ⑤ 아씨

2 옛이야기의 등장인물 중 상상 속의 인물이 <u>아닌</u> 것은 누구입니까?·············(   )

① 선녀   ② 이방   ③ 도깨비   ④ 산신령   ⑤ 옥황상제

3 옛이야기의 내용을 생각하며 빈칸에 들어갈 알맞은 낱말을 보기 에서 찾아 쓰시오.

> 보기
>
> 이방   머슴   선녀   산신령

(1) 총각은   을/를 구하는 욕심쟁이 양반 집에 찾아가, 먹여 주고 입혀 주고 재워 주기만 하면 돈을 받지 않고 일하겠다고 말했다.

(2) 나무꾼이 잘못해서 도끼를 연못에 빠뜨리고 울고 있을 때, 갑자기 연못 속에서 금도끼를 든   이/가 나타났다.

4 낱말의 첫 자음자와 뜻을 보고 어휘를 완성하여 쓰시오.

> ㅇ ㅆ : 아랫사람들이 젊은 부녀자를 높여 이르는 말. ···▶

5 낱말의 관계로 보아, 빈칸에 들어갈 낱말로 알맞은 것은 무엇입니까?············( )

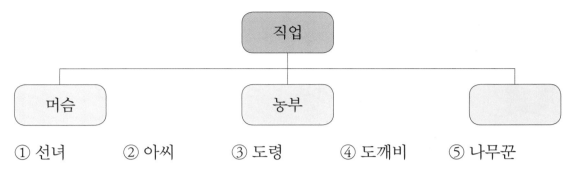

① 선녀　　　② 아씨　　　③ 도령　　　④ 도깨비　　　⑤ 나무꾼

6 옛이야기의 등장인물 중 다음 빈칸에 공통으로 들어갈 낱말을 쓰시오.

- 그분은 너무 아름다워서 마치 하늘에서 내려온 ▢▢ 같았지요.
- 이 연못에는 ▢▢ 들이 내려와 놀던 곳이라는 전설이 있어요.
- 우리나라 옛이야기 중에는 사슴을 구해 준 나무꾼이 ▢▢ 를 맞아 부부가 되었다는 내용의 이야기도 있답니다.

( )

7 다음 설명에 해당하는 등장인물은 누구인지 보기 에서 글자를 찾아 쓰시오.

나는 옛이야기에 많이 나오는 상상 속의 존재입니다. 머리에는 뿔이 한두 개 있습니다. 대체로 사람과 비슷한 모습을 하고 있는데, 다른 사물로 변신할 수도 있지요. 방망이를 들고 다니며 요술을 부리기도 하는 나는 누구일까요?

보기

부　비　신　도　산　령　깨　선

( )

① 만들려고 / 만드려고

Q 만들려고가 맞을까요, 만드려고가 맞을까요?

A 만들려고 (○)

'만들다'가 문장에서 쓰일 때 '만들-'은 변하지 않고 '만들어, 만들고, 만들지' 등으로 쓰여요. 어떤 일을 할 의도를 나타낼 때에도 '만드려고'가 아니라 '만들려고'로 써야 해요. 다만 '만들-' 뒤에 'ㄴ'이나 'ㅅ'이 올 때는 받침 'ㄹ'이 없어져서 '만드니, 만드시지'와 같이 쓰지요.
예) 개구리를 만들려고 색종이를 접고 있어.

'흔들다'는? ○ 흔들려고
× 흔드려고
흔들 흔들

② 좋네요 / 좋으네요

Q 좋네요가 맞을까요, 좋으네요가 맞을까요?

A 좋네요 (　　○　　)

　'-네'는 문장을 끝마칠 때 쓰는 말이고 '-요'는 상대를 높이는 말로, 그 둘을 붙여 쓸 때는 '-네요'라고 써요. 그래서 '좋다'는 '좋네요', '웃다'는 '웃네요'와 같이 써야 해요. 그러니까 '-네요' 앞에 '-으-'를 넣어 '좋으네요'라고 쓰면 틀려요.
⑩ 집이 참 <u>좋네요</u>.(○) / <u>좋으네요</u>.(X)

③ 안 돼요 / 안 되요

Q 안 돼요, 안 되요, 어떤 것이 맞을까요?

A 안 돼요 (◯)

'되(다)'에 '-어'가 붙으면 '되어'가 되고, 이것을 줄여서 말하면 '돼'가 되지요. 따라서 '안 되어요'를 줄여 쓸 때에는 '안 돼요'라고 써야지 '안 되요'로 쓰면 틀려요.

예 아무 데나 쓰레기를 버리면 안 돼요.

❹ 한창 / 한참

3
주

 Q 한창과 한참은 어떻게 다를까요?

 A 한창 재미있다 (◯) / 한참 기다리다 (◯)

'한창'은 '어떤 일이 가장 활기 있고 왕성하게 일어나는 때나 모양' 또는 '어떤 상태가 가장 무르익은 때나 모양'을 뜻하는 말이에요. 그리고 '한참'은 '시간이 상당히 지나는 동안'을 뜻하는 말이지요.

㉙ 전철 안이 한창 붐빌 시간이다.

㉙ 코스모스가 핀 길을 한참 동안 걸었다.

1 빈칸에 들어갈 알맞은 말은 어느 것입니까? ⋯⋯⋯⋯⋯⋯⋯⋯⋯⋯⋯⋯ (   )

> 재윤이는 종이 개구리를 [   ] 색종이를 접고 있다.

① 마드려고   ② 만드려고   ③ 만든려고

④ 만들려고   ⑤ 만듬려고

2 주어진 낱말을 활용하여 빈칸에 공통으로 들어갈 말을 알맞게 쓰시오.

만들다 ── 언니와 오빠가 요리 대결을 한대요. 제가 심판을 맡기로 했어요. 언니는 구수한 된장찌개를 [   ] 멸치 육수를 끓이고 있어요. 오빠는 맛있는 칼국수를 [   ] 밀가루를 반죽하고 있어요. 누구의 요리가 더 맛있을까요? 나는 입맛을 다시며 잔뜩 기대하고 있어요.

(   )

3 밑줄 그은 말 중 잘못 쓴 것을 골라 X표 하시오.

(1) 아기가 방긋방긋 잘도 <u>웃네요</u>.   (   )

(2) 그림을 벽에 걸어 <u>놓으니</u> 분위기가 <u>좋으네요</u>.   (   )

(3) 이 수박은 맛도 달고 시원하고 향도 참 <u>좋네요</u>.   (   )

4 다음 중 동물의 말을 바르게 쓴 것은 어느 것인지 그 동물의 이름을 쓰시오.

> 거북: 토끼처럼 달리기를 하다 잠들면 안 <u>되</u>.
> 토끼: 거북이처럼 자는 친구를 두고 혼자만 가면 안 <u>돼</u>.
> 사슴: 얘들아, 친구끼리 그런 일로 다투면 안 <u>되</u>.

(   )

5 밑줄 그은 말이 어색한 문장은 어느 것입니까?⋯⋯⋯⋯⋯⋯⋯⋯⋯⋯⋯⋯⋯⋯(   )

① <u>한참</u> 뛰었더니 땀이 났다.

② 가을 들판에 국화가 <u>한참</u>이다.

③ 내가 도착한 지 <u>한참</u> 뒤에 친구가 왔다.

④ 수지는 경복궁 여기저기를 <u>한참</u> 동안 둘러보았다.

⑤ 우리는 주차장에 차를 가지러 가신 아버지를 <u>한참</u> 기다렸다.

6 문장의 뜻에 알맞게 '한창'이나 '한참' 중에서 하나를 골라 빈칸에 써넣으시오.

(1) 요즘은 ☐☐ 벼를 베는 때이다.

(2) 아기가 귀여워서 ☐☐ 바라보았다.

(3) 이 지역에서는 벚꽃 축제가 ☐☐ 이다.

(4) 점심시간이 ☐☐ 지나서야 밥을 먹었다.

7 밑줄 그은 낱말을 바르게 고쳐 쓰시오.

(1) 노랫소리가 아주 듣기 <u>좋으네요</u>. → ☐☐☐

(2) 엄마, 무엇을 <u>만드려고</u> 나무를 자르시는 거예요? → ☐☐☐☐

(3) 얘들아, 새로 페인트칠을 한 벽에 낙서를 하면 <u>안 되</u>. → ☐☐

지형과 관련된 말

비가 많이 와.

그러게. 오늘 공연은 어디서 해야 하나?

오늘은 안테나로 변장! 크크~

일단 이 동네 지형이 나와 있는 지도를 살펴보자.

하천 근처는 물이 불어서 위험하고…….

이 근처에 산이 있네. 산 위에서 공연할까?

산지는 안 돼! 산사태 나면 어쩌려고!

우르르~

악!

어디 보자. 그렇다면…….

오늘의 어휘

지형 / 하천 / 산지

지형은 땅의 생김새.

예 지형에는 산지, 평야, 하천 등이 있다.

하천
➡ 강과 시내.

산지
➡ 산이 많은 지대.

3
주

오늘의
어휘

섬 / 해안 / 평야

섬
➡ 바다로 둘러싸인 땅.

해안
➡ 바다와 맞닿은 육지.

평야
➡ 평평하고 넓은 들판.

지형과 관련된 말

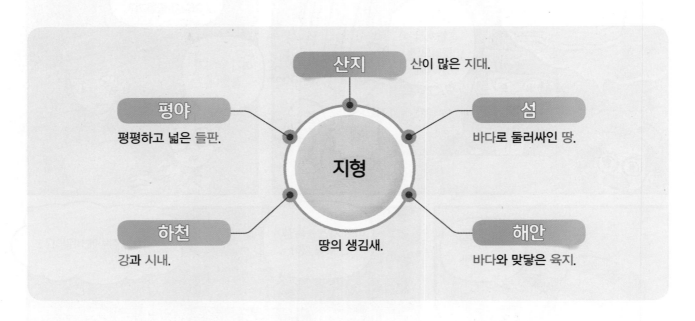

산지 산이 많은 지대.

평야 평평하고 넓은 들판.

지형 땅의 생김새.

섬 바다로 둘러싸인 땅.

하천 강과 시내.

해안 바다와 맞닿은 육지.

산지

산이 많은 지대

높이 솟은 산들이 많은 지대를 산지라고 해. 우리나라는 국토의 70퍼센트가 산지로 되어 있지. 특히 높은 산은 주로 북쪽과 동쪽에 많아. 산지는 경사가 급하고 험해서 사람들이 많이 살지 않아. 하지만 숲이 있고 공기가 맑아서 휴양 시설로 개발되기도 해.

例 이런 산지에도 마을이 있네요.

▲ 산지

평야

평평하고 넓은 들판(野: 들 야)

평평하고 넓은 들판을 평야라고 해. 평야는 대체로 강이나 시내가 있는 곳에서 볼 수 있어. 물이 가까이 있고 논농사를 지을 수 있어서 옛날부터 사람들은 평야에서 많이 모여 살았지. 우리나라는 대부분 서쪽에 평야 지대가 발달했어.

例 넓은 평야에 벼가 익어 가고 있어요.

▲ 평야

하천

강[河:강 **하**]과 시내[川:내 **천**]

하천은 강과 시내를 아울러 이르는 말이야. 하천은 대체로 평야 지대를 흘러가는데, 사람들은 하천 상류에 다목적 댐을 만들어 식수로 이용하고 홍수를 막거나 전기를 생산하기도 해.

⑩ 이 <u>하천</u>은 물이 참 맑네요.

우리가 마실 물을 지키려면 하천이 오염되지 않도록 잘 관리해야 해.

▲ 하천

해안

바다[海:바다 **해**]와 맞닿은 땅[岸:기슭 **안**]

해안은 바다와 맞닿은 육지 부분을 말해. 우리나라는 동해안, 서해안, 남해안 등 세 군데의 해안이 있지. 동해안에는 모래사장이 많아 해수욕장이 발달했어. 서해안은 갯벌이 넓게 펼쳐져 있지. 남해안 주변에는 섬이 많아.

⑩ <u>해안</u>을 따라 기찻길이 있다.

해안에 펼쳐진 모래사장이 아주 멋지군!

▲ 해안

섬

섬은 주위가 바다로 둘러싸인 땅을 말해. 주변에 물이 있는 지형이라 수증기가 많아서 날이 흐리고 비가 자주 오는 편이지. 우리나라에서 가장 큰 섬은 제주도야. 동쪽 끝에 있는 울릉도와 독도도 우리나라 섬이지. 남해에는 특히 크고 작은 섬들이 많이 흩어져 있어.

⑩ <u>섬</u>으로 여행을 가자.

우리나라 동쪽 끝에 있는 섬, 독도는 우리 땅!

▲ 섬

1 낱말의 뜻과 낱말의 관계를 참고하여 빈칸에 들어갈 알맞은 낱말을 쓰시오.

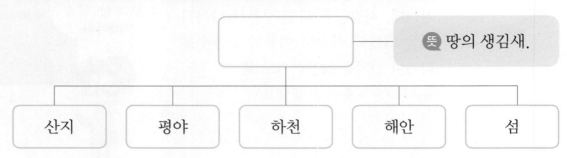

뜻 땅의 생김새.

| 산지 | 평야 | 하천 | 해안 | 섬 |

2 낱말의 뜻에 해당하는 것을 알맞게 이으시오.

(1) 평야 •   • ① 산이 많은 지대.

(2) 하천 •   • ② 평평하고 넓은 들판.

(3) 산지 •   • ③ 강과 시내를 아울러 이르는 말.

3 밑줄 그은 말 중 지형에 해당하는 낱말이 <u>아닌</u> 것을 골라 X표 하시오.

(1) 독도는 우리나라 동쪽 끝에 있는 <u>섬</u>입니다.   (   )

(2) 섬은 주변에 물이 있는 지형이라 <u>수증기</u>가 많습니다. (   )

(3) 사람들은 <u>하천</u> 상류에 다목적 댐을 만들어 홍수를 막습니다. (   )

4 낱말의 첫 자음자와 뜻을 보고 어휘를 완성하여 쓰시오.

ㅎ ㅇ : 바다와 맞닿은 육지 부분으로 우리나라에는 동해안, 서해안, 남해안의 세 곳이 있는 지형. ⋯▶ ☐ ☐

5 다음 사진은 무슨 지형인지 보기 에서 알맞은 것을 골라 기호를 쓰시오.

보기
　　　㉠ 평야　　　㉡ 하천　　　㉢ 산지　　　㉣ 해안

(1)
(　　　)

(2)
(　　　)

(3)
(　　　)

6 다음과 같은 지형의 특징으로 알맞지 <u>않은</u> 것은 어느 것입니까? ⋯⋯⋯⋯ (　　　)

① 주위가 바다로 둘러싸인 지형이다.
② 우리나라에서 가장 큰 것은 제주도이다.
③ 울릉도와 독도도 이러한 지형에 해당한다.
④ 남해에는 크고 작은 것들이 많이 흩어져 있다.
⑤ 주변에 물이 적어서 비가 자주 오지 않는 편이다.

7 밑줄 그은 낱말을 바르게 고쳐 쓰시오.

(1) <u>해안</u>은 주위가 바다로 둘러싸인 땅을 말한다.
　└→ [　　　　　　]

(2) 우리나라 국토의 70퍼센트가 <u>평야</u>로 되어 있다.
　　　　　　　└→ [　　　　　　]

(3) 논농사를 지을 수 있는 평평하고 넓은 들판을 <u>하천</u>(이)라고 한다.
　　　　　　　　└→ [　　　　　　]

5일

生이 들어간 말

生 生 { 새싹이 땅 위로 나오는 모양을 나타내는 글자로, 낳다, 살다를 뜻해요. }

날 생

급수 | 8급   부수 | 生   획수 | 총 5획

오늘은 귀한 생명이 태어난 날!

바로 이 변신술 님의 생일이지!

살아남기 힘든 마술 세계에서 고생 많았어!

앞으로도 평생 어려움을 잘 헤쳐 나가 보자.

쓱
쓱

에잇! 이 녀석들만 없었어도!

구깃   구깃

화륵

앗, 뜨거! 불이야, 불!

QR을 보며 따라 써요!

生 날 생

🔍 한자 획순을 알아보아요.

① 生 → ② 生 → ③ 生 → ④ 生 → ⑤ 生

한자를 쓰며 익혀요~!

생 명　살아서 숨 쉬고 활동할 수 있게 하는 힘.

◆ 땅을 뚫고 나오는 새싹에서 강한 **생명**의 힘이 느껴진다.

生	命
날 생	목숨 명

생 일　사람이 세상에 태어난 날.

◆ 친구들이 모두 내 **생일**을 축하해 주었다.

生	日
날 생	날 일

평 **생**　세상에 태어나서 죽을 때까지의 동안.

◆ 그분은 **평생** 동안 착하게 사셨습니다.

平	生
평평할 평	날 생

日 이 들어간 말

日 ☼
날 일

해의 모양을 본떠 만든 글자로, 해, 날 등을 나타내요.

| 급수 | 8급 | 부수 | 日 | 획수 | 총 4획 |

누나, 이제 해 뜨나 봐!

오랜만에 일출을 보니

매일 반복되는 일상도 새롭게 느껴지네!

일출 본다고 너무 일찍 일어났나?

자다니? 일광욕 하는 거야!

아니, 또 자? 휴일이라고 너무 하는 거 아냐?

쩌쟁 ㅋㅋ 쩌쟁

두 시간 뒤

꺄악!!

안대 부분만 안 탔어.

 **날 일**

🔍 한자 획순을 알아보아요. ——————

① 日 → ② 口 → ③ 日 → 日 ④

 출 해가 떠오름.

↻ 온 가족이 함께 바닷가에서 **일출**을 봤어요.

한자를 쓰며 익혀요~!

日	出
날 일	날 출

3주

 상 날마다 반복되는 평범한 생활.

↻ 여행은 반복되는 **일상**에서 벗어나는 즐거움을 주지요.

日	常
날 일	항상 상

휴 일요일이나 공휴일과 같이 일을 하지 않고 쉬는 날.

↻ **휴일**에 가족들과 나들이를 갔습니다.

休	日
쉴 휴	날 일

1 다음 뜻을 가진 낱말은 어느 것입니까? ··· (　　　)

> 뜻 살아서 숨 쉬고 활동할 수 있게 하는 힘.

① 생명　　　② 생일　　　③ 평생　　　④ 일상　　　⑤ 휴일

2 다음 낱말에 쓰인 '생'의 뜻은 무엇입니까? ·· (　　　)

> <u>생</u>명

① 웃다　　　② 살다　　　③ 죽다　　　④ 울다　　　⑤ 나오다

3 힌트 를 보고 다음 빈칸에 들어갈 알맞은 글자를 써넣으시오.

> 힌트
> •휴☐: 일요일이나 공휴일과 같이 일을 하지 않고 쉬는 날.
> •☐출: 해가 떠오름.

휴	
	출

4 밑줄 그은 낱말을 한자어로 바르게 쓴 것은 어느 것입니까? ····················· (　　　)

> 이것은 새해 첫날에 바닷가 <u>일출</u> 장면을 찍은 사진이야.

① 休日　　　② 日常　　　③ 日出　　　④ 平生　　　⑤ 生命

5 밑줄 그은 한자어를 바르게 읽은 것은 어느 것입니까? ·····················(   )

> 엄마: 자, 네가 좋아하는 음식들로만 푸짐하게 차렸으니 마음껏 먹으렴.
> 수진: 와, 엄마! 오늘 누구 <u>生日</u>이에요? 왜 이렇게 맛있는 게 많아요?

① 휴일   ② 일상   ③ 평일   ④ 생명   ⑤ 생일

6 밑줄 그은 한자어를 바르게 읽은 것끼리 알맞게 이으시오.

(1) 그분은 제가 어렸을 때 물에 빠진 것을 구해 주신 <u>生命</u>의 은인입니다.   •

  • ① 생명

(2) 이 운동은 특별한 기구가 없이도 <u>日常</u> 속에서 쉽게 따라할 수 있습니다.   •

  • ② 일출

(3) 우리는 힘들게 산 정상에 올라갔지만, 날이 흐려서 <u>日出</u>을 보지 못했습니다.   •

  • ③ 일상

7 글자를 골라 뜻에 알맞은 낱말을 쓰시오.

(1)
💬뜻 사람이 세상에 태어난 날.

(2)
💬뜻 날마다 반복되는 평범한 생활.

(3)
💬뜻 세상에 태어나서 죽을 때까지의 동안.

1 낱말의 뒤에 보기 의 접두사가 붙을 수 없는 말은 어느 것입니까? ·········· (　　　)

보기
> −꾼: 어떤 일을 잘하는 사람.

① 일 ☐
② 나무 ☐
③ 농사 ☐
④ 학생 ☐
⑤ 살림 ☐

2 파란색으로 된 접두사나 접미사의 뜻으로 알맞은 것을 이으시오.

(1) 헛수고 ・ ・① 덜 익은.

(2) 풋고추 ・ ・② 보람 없는.

(3) 겁쟁이 ・ ・③ 도구나 신체를 이용한 일.

(4) 부채질 ・ ・④ 그러한 특성이 많은 사람.

3 옛이야기의 등장인물 중 현실에서 볼 수 있는 인물과 상상 속의 인물을 구분하여 기호를 쓰시오.

㉠
▲ 도깨비

㉡
▲ 사또

㉢
▲ 아씨

㉣
▲ 선녀

(1) 현실에서 볼 수 있는 인물
(　　　　　　　　　)

(2) 상상 속의 인물
(　　　　　　　　　)

4 옛이야기의 등장인물들이 한 말을 보고 각각 누구인지 이름을 쓰시오.

 저는 ☐㉠ 입니다. 남의 집에서 대가를 받고 농사일과 집안일을 해 주고 있지요.

나는 산을 지키고 다스리는 ☐㉡ 입니다. 내가 나무꾼에게 도끼를 찾아 준 이야기가 잘 알려져 있지요.

(1) ㉠: (　　　　　　　)
(2) ㉡: (　　　　　　　)

5 밑줄 그은 말을 바르게 고쳐 쓰시오.

> 이 옷감은 촉감이 참 <u>좋으네요</u>.

(　　　　　　)

6 빈칸에 들어갈 알맞은 낱말을 보기 에서 찾아 쓰시오.

보기
　　한참　　　한창

• 들판에 벼가 □□ 무르익었어요.

7 둘 중 맞는 말에 ◯표 하시오.

벽에 낙서하면
(1) 안 되.
(　　)
(2) 안 돼.
(　　)

8 다음은 어떤 지형인지 쓰시오.

> • 평평하고 넓은 들판을 말한다.
> • 물이 가까이 있어 논농사를 짓기에 좋다.

(　　　　　　　　)

9 다음과 같은 지형에 대한 설명으로 알맞지 <u>않은</u> 것은 무엇입니까?‥‥‥‥ (　　)

① 산들이 많은 지대이다.
② 경사가 급하고 험하다.
③ 숲이 있고 공기가 맑다.
④ 주위가 물에 둘러싸여 있다.
⑤ 우리나라 국토의 70퍼센트에 해당한다.

10 힌트 로 보아, 빈칸에 공통으로 들어갈 글자에 맞는 한자는 무엇입니까?‥ (　　)

힌트
• 평□ : 세상에 태어나서 죽을 때까지의 동안.
• □일 : 사람이 세상에 태어난 날.

① 上　　　　② 下
③ 日　　　　④ 生
⑤ 木

속담 플러스

강 건너 불 구경

 강 건너에 불이 나면 불이 자기 쪽으로 번지지 않으니 남의 일이라고 생각할 수 있지요. 이 만화에서는 친구의 우산을 가지고 오는 것은 자기와 상관없는 것이라고 모른 척하는 내용이 나오지요. 이처럼 자기와 상관없는 일이라고 무관심하게 행동하는 것을 강 건너 불구경이라고 해요.

논리 탄탄

1 다음 코딩 명령어와 코딩 규칙을 참고하여, 지도의 출발 칸에서부터 도착 칸까지 가는 길을 선으로 그리면 어떤 낱말을 지나가게 되는지 차례대로 쓰세요.

코딩 명령어

접두사 접두사가 쓰인 낱말이면 위로 한 칸
접미사 접미사가 쓰인 낱말이면 아래로 한 칸
맞춤법 맞춤법이 틀리면 오른쪽으로 한 칸
옛이야기 옛이야기의 등장인물이면 왼쪽으로 한 칸

코딩 규칙

· 출발 칸의 '겁쟁이'부터 '도착' 칸까지 이동합니다.

· 겁쟁이 → (   ) → (   ) → (   ) → (   ) → 도착

2 다음 질문에 알맞은 대답을 찾아 화살표로 가는 길을 표시해 보세요.

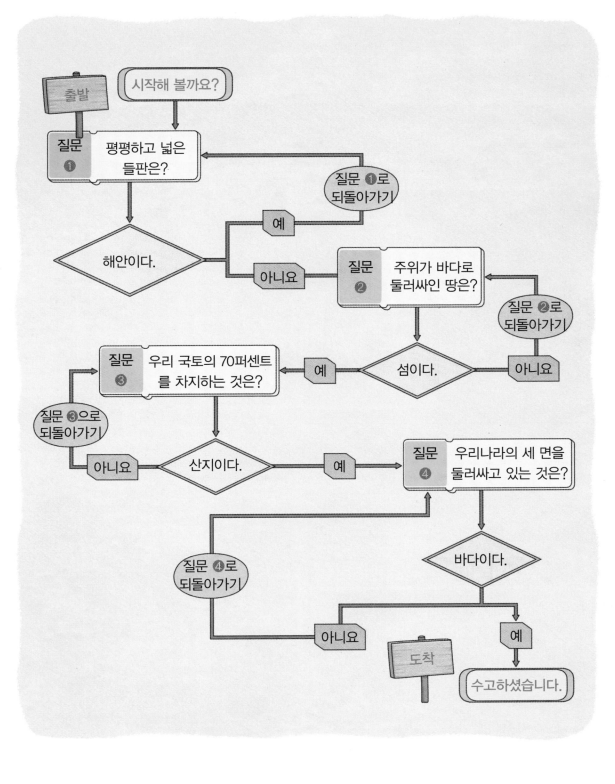

4주에는 무엇을 공부할까? ①

1일 주제 어휘 > 성격을 나타내는 말

어질다
상냥하다
너그럽다
이기적이다
교활하다
어수룩하다

교활한 녀석들. 관객들 앞에서 상냥한 척이라니!

2일 교과 어휘 국어 > 연극과 관련된 말

연극
희곡
해설
대사
지문

우리도 꼭 감동적인 마술쇼를 해 보자!

최고의 연극이었어!

알쏭 어휘 > 붉으락푸르락…

붉으락푸르락 /
울그락붉으락
오랫만에 /
오랜만에
띠다 / 띄다
바치다 / 받치다

교과 어휘 과학 > 동물의 분류

포유류
조류
양서류
파충류
어류

한자 어휘 > 食 먹을 식 事 일 사

식사
과식
외식
사실
사고
사업가

주제 어휘 1 성격을 나타내는 말

다음 그림을 보고 놀부의 성격을 나타내는 말에 ○표 하세요.

(상냥한 / 이기적인) 놀부는 흥부를 내쫓았다.

교과 어휘 2 [국어] 연극과 관련된 말

다음 문장에 알맞은 말을 골라 ○표 하세요.

(1) 나는 백설 공주 역할을 맡은 (배우 / 관객)입니다.

(2) 백설 공주가 직접 하는 말인 (대사 / 지문)을/를 열심히 외웠습니다.

◑ 정답과 풀이 13쪽

 [과학] 동물의 분류

3 다음 표와 힌트를 보고 빈칸을 채우세요.

동물의 분류				
포유류	조류	양서류	파충류	

* 물속에 사는 ○○에는 상어, 고등어, 가오리 등이 있다.

 오랫만에 / 오랜만에

4 잘못 쓴 부분을 찾아 바르게 고쳐 쓰세요.

오랫만에 방을 깨끗하게 정리했다.

	→	

성격을 나타내는 말

오늘은 어떤 변장을 할까?

이게 좋겠다. 상냥한 귀부인!

입술을 칠하고

자상하게 미소!

왜 교활해 보이지?

? 갸우뚱

눈썹을 깜빡했네.

어머. 자상한 귀부인이 됐잖아!

오늘의 어휘

성격을 나타내는 말

상냥하다 : 말과 행동이 싹싹하고 부드럽다.

㉠ 어린 백설 공주는 <u>상냥해서</u> 하인들에게도 친절했어.

자상하다 : 정이 넘치고 정성스럽다.

오늘의 어휘

성격을 나타내는 말

어수룩하다 : 말이나 행동이 둔하고 어리석다.

📙 어수룩한 농부는 수박 장수에게 쉽게 속았어.

교활하다 : 나쁜 꾀를 잘 부리다.

성격을 나타내는 말

어질다

마음이 넓고 착하며 슬기로운 성격

예 마음이 <u>어진</u> 세종 대왕은 백성들이 어떻게 사는지 궁금했어.

백성들이 굶고 있지는 않은지 살펴봐야겠다.

상냥하다

말과 행동이 싹싹하고 부드러운 성격

예 어린 백설 공주는 <u>상냥해서</u> 하인들에게도 친절했어.

안녕하세요?

안녕하세요?

긍정적인 성격

너그럽다

마음이 넓고 속이 깊은 성격

예 황희 정승은 하인들의 잘못을 <u>너그럽게</u> 용서해 주었어.

괜찮다. 실수는 누구나 하는 것이니……

자상하다

정이 넘치고 정성스러운 성격

예 할아버지는 피노키오를 <u>자상하게</u> 돌봐 주셨어.

어디서 또 코를 다쳤니? 조심하지 그랬니……

이기적이다

자기 자신의 이익만을 꾀하는 욕심 많은 성격

예 놀부는 <u>이기적이어서</u> 부모님의 재산을 혼자서 차지하려고 흥부를 내쫓았어.

교활하다

자신의 이익을 위하여 나쁜 꾀를 잘 부리는 성격

예 <u>교활한</u> 여우는 호랑이인 척 동물들을 속였지.

어수룩하다

말이나 행동이 둔하고 어리석은 성격

예 <u>어수룩한</u> 농부는 수박 장수에게 쉽게 속았어.

부정적인 성격

고지식하다

일을 형편에 따라 하지 않고 원칙대로만 하려는 성격

예 <u>고지식한</u> 사또는 농부들의 처지를 이해하려 하지 않았어.

4 주

1 다음에서 설명하는 사람의 성격을 나타내는 말에 ○표 하시오.

(1)
> 나는 내 친구 희성이를 좋아합니다. 처음 전학 왔을 때 모든 것이 낯설었는데 희성이가 먼저 웃으며 말을 걸어 주었고, 학교 구경을 시켜 주며 소개를 해 주었습니다. 그 후로 희성이는 나의 단짝 친구가 되었습니다.

• 희성이는 성격이 (교활하다 / 상냥하다 / 고지식하다).

(2)
> 미술 시간에 그림 그리기를 하다가 실수로 태진이의 팔과 부딪쳤습니다. 태진이는 그림을 망치게 되었는데도 "부딪친 데는 괜찮아? 다치지 않았어?"라며 오히려 내 걱정을 해 주었습니다.

• 태진이는 (너그러운 / 어수룩한 / 이기적인) 친구입니다.

2 다음 성격을 나타내는 말이 알맞게 쓰이지 <u>못한</u> 문장은 어느 것입니까?⋯⋯(   )

① 과일 가게 아주머니는 늘 밝게 웃으며 <u>상냥하게</u> 인사하신다.
② 어제 나는 동생 몫의 과자까지 다 먹는 <u>이기적인</u> 행동을 했다.
③ 선생님께 모르는 문제를 여쭈어보면 <u>자상하게</u> 가르쳐 주신다.
④ 할머니는 마음이 <u>어질어서</u> 다른 사람에게 나쁜 소리를 하지 않으신다.
⑤ 혜연이는 <u>어수룩해서</u> 친구들이 곤란에 처했을 때마다 나타나서 문제를 해결해 준다.

3 자기 주변의 사람 중 한 사람을 떠올려 성격을 나타내는 말을 쓰시오.

• 내 친구 (1) [   ] 는 성격이 (2) [   ] .

4 다음 이야기 속 인물의 성격을 나타내는 말을 글자 칸의 글자를 모아 만들어 쓰시오.

(1)

이야기 '콩쥐팥쥐'에서 팥쥐는 콩쥐에게 힘든 집안일을 다 시키고, 좋은 옷을 혼자 입고, 맛있는 음식도 혼자 먹었다.

| 고 | 어 | 이 | 법 | 기 | 회 | 크 | 학 | 주 | 적 |

➡ ☐☐☐ 이다

(2)

이야기 '토끼전'에서 자라는 용왕의 병을 고칠 토끼의 간을 구하기 위해서 토끼에게 왕궁에 가면 높은 벼슬을 준다며 토끼를 꾀었다.

| 교 | 대 | 수 | 인 | 해 | 갈 | 범 | 정 | 활 | 첩 |

➡ ☐☐ 하다

(3)

이야기 '흥부와 놀부'에서 흥부는 욕심 많은 놀부에게 빈털터리로 쫓겨 났지만 제비가 물어다 준 박씨 덕에 부자가 된 후 놀부를 용서하고 보살펴 주었다.

| 제 | 럽 | 그 | 성 | 일 | 권 | 너 | 다 | 군 | 초 |

➡ ☐☐☐☐

2일

교과 어휘 국어

연극과 관련된 말

오늘의 어휘

연극과 관련된 말

희곡 : 연극을 하기 위해 필요한 대사가 담긴 문학 작품.

해설 : 희곡의 앞부분에서 연극의 배경을 자세하게 설명해 주는 부분.

오늘의 어휘

연극과 관련된 말

대사 : 등장인물이 직접 하는 말.

지문 : 대사를 어떻게 실감 나게 표현해야 하는지 알려 주는 부분.

연극 》 지문

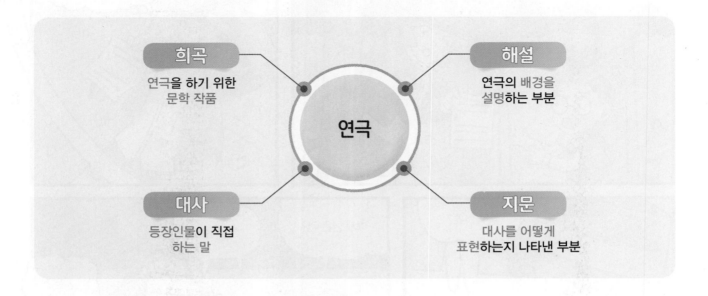

희곡	해설
연극을 하기 위한 문학 작품	연극의 배경을 설명하는 부분

연극

대사	지문
등장인물이 직접 하는 말	대사를 어떻게 표현하는지 나타낸 부분

연극

연극은 배우와 관객이 함께 만들어 가는 공연을 말해. 배우는 무대에서 이야기를 이끌어 가고, 관객은 연극을 관람하지. 연극을 통해 우리가 사는 세상을 이해하고 고민해 볼 수 있어.

㉔ 가을 공연을 위해 <u>연극</u>을 준비했다.

▲ 연극에는 무대, 조명, 의상 등 다양한 요소가 필요

희곡

희곡은 배우, 관객처럼 연극에서 꼭 필요한 존재야. 연극을 하기 위해 필요한 대사가 담긴 문학 작품을 희곡이라고 해. 무대에서 연기를 하기 위해 필요한 정보들이 모두 적혀 있어.

㉔ <u>희곡</u>을 더 잘 이해하기 위해 무대를 상상하며 읽었다.

▲ 희곡은 해설, 대사, 지문으로 구성됨.

해설

희곡에는 해설, 대사, 지문 세 가지가 들어 있어. 해설은 희곡의 가장 앞부분에 나와서 연극의 배경을 자세하게 설명해 줘. 등장인물, 이야기가 일어나는 시간과 장소 등이 적혀 있지.

대사

해설이 나오고 나면 등장인물이 직접 하는 말인 대사가 나와. 대사를 통해 인물의 성격을 알 수 있고, 이야기의 내용을 알 수 있지.

지문

지문은 대사를 어떻게 표현해야 하는지 알려 주는 부분이야. 괄호 안에 목소리, 손동작 등을 써서 알려 주지. 지문은 대사의 내용을 더욱 실감 나게 표현할 수 있게 도와줘.

예 (땀방울을 닦으며), (부드러운 목소리로)

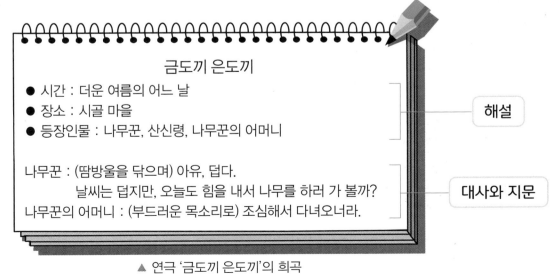

▲ 연극 '금도끼 은도끼'의 희곡

1 다음 세 친구가 설명하는 '이것'은 무엇인지 쓰시오.

> 정민 : 희곡은 '이것'을 하기 위해 꼭 필요한 대본을 말해.
> 혜연 : '이것'을 하기 위해서는 배우, 관객, 조명, 무대 등이 필요해.
> 지원 : '이것'은 배우가 대본에 있는 이야기를 관객에게 전달하는 예술이야.

(   )

2 '해설'에 대한 설명으로 알맞지 않은 것은 어느 것입니까? (   )

① 해설은 희곡의 가장 앞부분에 나온다.

② 해설에서 앞으로 벌어질 이야기를 짐작할 수도 있다.

③ 해설에서는 이야기가 펼쳐지는 장소에 대한 설명이 나온다.

④ 해설은 등장인물들이 어떤 표정을 지어야 하는지 알려 준다.

⑤ 해설에서는 이야기에 등장하는 인물들에 대한 설명이 나온다.

3 다음에서 설명하는 것은 무엇입니까? (   )

> 대사를 어떻게 말하고 표현해야 하는지 알려 주는 희곡의 한 부분.

① 연극   ② 해설   ③ 대사

④ 지문   ⑤ 배경

4 연극과 관련된 문제의 정답을 따라 달리는 경주입니다. 현재 서 있는 레인으로 계속 달린다면 이 경주에서 이길 수 있는 친구는 누구인지 쓰시오.

(   )

① **붉으락푸르락 /
울그락붉으락**

Q 붉으락푸르락이 맞을까요, 울그락붉으락이 맞을까요?

A 붉으락푸르락 (○)

몹시 화가 나거나 흥분하여 얼굴빛이 붉게 또는 푸르
게 변하는 모양을 나타낼 때에는 '붉으락푸르락'이라고
써야 해요. 흔히 '울그락붉으락'이라고 쓰는 사람이
있는데 그것은 잘못된 표현이에요.

　예 형은 화가 나서 얼굴이 <u>붉으락푸르락</u> 달아올랐다.

② 오랫만에 / 오랜만에

Q 오랫만에가 맞을까요, 오랜만에가 맞을까요?

A 오랜만에(○)

　어떤 일이 있은 때로부터 긴 시간이 지난 뒤를 '오래간만'이라고 하고, '오래간만'을 줄인 말이 '오랜만'이에요. 매우 긴 시간 동안을 뜻하는 '오랫동안'과 혼동해서 '오랫만에'라고 쓰는 경우가 있는데, '오랜만에'가 바른 표현이에요.

3 띄다 / 띠다

Q '띄다'와 '띠다'는 어떻게 다를까요?

A 눈에 띄다 (○) / 빛을 띠다 (○)

'띄다'는 '뜨이다'를 줄여서 쓴 말이에요. 눈에 보인다, 남보다 훨씬 두드러진다는 뜻으로 '눈에 띄다'와 같이 써요. 반면 '띠다'는 빛깔이나 색깔 등을 나타내거나 가지고 있다는 뜻이에요. 그래서 '붉은빛을 띤 장미', '얼굴에 미소를 띠다'와 같이 써요.

❹ 바치다 / 받치다

4
주

Q '바치다'와 '받치다'는 어떻게 다를까요?

A 양산은 받치고 (○   ) / 목숨은 바치고 (○   )!

'바치다'는 정중하게 무엇을 드리거나 아낌없이 준다는 뜻이에요. '받치다'는 물건을 아래에 대거나 우산 등을 펴 든다는 뜻이지요. '주다', '드리다'의 뜻으로는 바치다를, 밑이나 옆에 무언가를 대다의 뜻으로는 받치다를 써요.

⑩ 사또께 송아지를 바치다.

⑩ 찻잔에 접시를 받치다.

1 다음에서 설명하는 낱말은 어느 것인지 알맞은 말에 ○표 하시오.

> • '어떤 일이 있은 때로부터 긴 시간이 지난 뒤에'라는 뜻이다.
> • '오래간만에'를 줄여 쓴 말이다.

(오랫동안 / 오랜만에)

2 다음 빈칸에 공통으로 들어갈 낱말로 알맞은 것은 무엇입니까? ·······················(   )

> • 너무 흥분하지 마. 지금 네 얼굴이 [   ] 해 보여.
> • 형은 몹시 화가 나서 얼굴이 [   ] 달아올랐다.

① 울그락울그락   ② 불그락불그락

③ 울그락붉으락   ④ 붉으락푸르락

⑤ 푸르락푸르락

3 다음 밑줄 그은 낱말을 바르게 고쳐 쓰시오.

(1) 얼굴에 미소를 <u>띄었다</u>.

 .

(2) 베개를 <u>바치고</u> 바닥에 누워 있었다.

4 다음 빈칸에 들어갈 말로 알맞은 것을 찾아 선으로 이으시오.

(1) 멀리서도 눈에 잘 [   ]었다. •

• ① 띄

(2) 붉은색을 [   ]는 아름다운 장미를 봤다. •

• ② 띠

5 다음 문장의 밑줄 그은 말이 알맞지 <u>않은</u> 것은 무엇입니까? ·········· (   )

① 언니는 얼굴에 미소를 <u>띠었다</u>.
② 눈에 <u>띄지</u> 않게 살금살금 도망갔다.
③ 화가 나서 얼굴이 <u>붉으락푸르락</u>했다.
④ <u>오랜만에</u> 만난 친구들과 저녁을 먹었다.
⑤ 목숨을 <u>받쳐</u> 나라를 구한 위인들에 대해 배웠다.

6 다음 대화 중에서 잘못 쓰인 낱말을 찾아 바르게 고쳐 쓰시오.

수연: 지민아! 주말에 뭐 했어?
지민: 오랫만에 할머니 댁에 다녀왔어. 할머니께서 맛있는 음식을 해 주셨어.
수연: 나는 동생이 내 물건을 잃어버려서 화가 났었어. 얼굴이 붉으락푸르락
　　　달아올랐지.

잘못 쓰인 낱말		고친 낱말
(1)	→	(2)

동물의 분류

동물의 분류

양서류 : 물과 땅 모두에서 생활하는 동물.

포유류 : 새끼를 낳고 젖을 먹여서 키우는 동물.

개구리   두꺼비

▲ 양서류

4주

오늘의 어휘

동물의 분류

조류 : 하늘을 날 수 있는 동물.

파충류: 온몸이 비늘로 덮인 뱀, 거북이, 악어 등의 동물.

포유류 » 어류

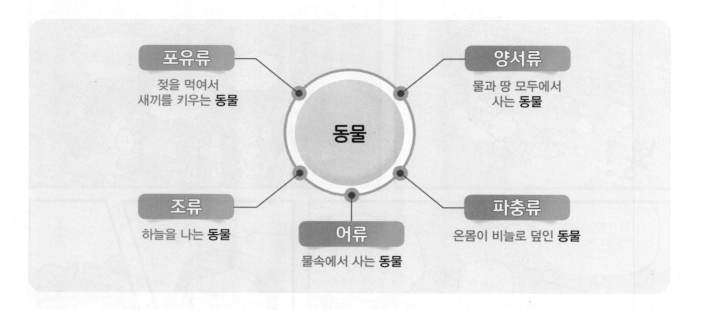

포유류	양서류
젖을 먹여서 새끼를 키우는 **동물**	물과 땅 모두에서 사는 **동물**

동물

조류	파충류
하늘을 나는 **동물**	온몸이 비늘로 덮인 **동물**

어류

물속에서 사는 **동물**

포유류

포유류는 어미가 새끼를 낳고 젖을 먹여서 키우는 동물을 말해. 포유류에는 강아지, 사자, 소 등이 있어. 온몸에 털이 있어서 체온이 쉽게 변하지 않는다는 특징이 있지.

▲ 포유류 : 코끼리, 얼룩말

🔊 하늘을 나는 동물은?

조류

조류는 하늘을 날 수 있는 동물이야. 동물 중에서 유일하게 깃털이 있어. 깃털은 몸을 보호해 주고 하늘을 날게 도와주는 역할을 하지. 닭, 참새, 펭귄, 독수리 등이 모두 조류야.

▲ 펭귄은 조류이지만 날지 못한다. 대신 수영과 잠수를 할 수 있다.

🔊 물과 땅 모두에서 사는 동물은?

양서류

양서류는 물과 땅 모두에서 생활하는 동물을 말해. 대표적인 동물에는 개구리, 두꺼비, 도롱뇽 등이 있어. 어릴 때는 물에서 아가미로 숨을 쉬며 살고, 성장하면 땅 위에서 폐와 피부로 숨을 쉬지.

▲ 개구리는 울음주머니를 부풀려서 소리를 내는 양서류이다.

🔊 온몸이 비늘로 덮인 동물은?

파충류

파충류는 온몸이 비늘로 덮인 뱀, 거북이, 악어, 도마뱀 등을 말해. 파충류의 비늘은 몸을 보호해 주고 피부가 건조해지는 것을 막아 줘. 파충류는 대부분 알을 낳아 번식해.

▲ 카멜레온은 주변 환경에 따라 몸 색깔이 자유롭게 변하는 파충류이다.

🔊 물속에서 사는 동물은?

어류

어류는 물속에서 사는 동물이야. 대표적으로 상어, 고등어, 가오리 등이 있지. 어류는 사람의 폐와 같은 역할을 하는 아가미가 있어서 물속에서도 숨을 쉴 수 있어.

▲ 고래는 바다에서 살지만 새끼를 낳아 젖을 먹이는 포유류다.

1 다음은 무엇에 대한 설명인지 쓰시오.

> 어미 동물이 새끼를 낳아 젖을 먹이면서 키우는 동물을 뜻한다.

(   )

2 동물의 분류에 대한 설명으로 알맞지 <u>않은</u> 것은 어느 것입니까?·····················(   )

① 파충류는 대부분 알을 낳아 번식한다.

② 양서류에는 개구리, 두꺼비 등이 있다.

③ 어류는 새끼를 낳아 젖을 먹여 키운다.

④ 양서류는 물과 땅에서 모두 생활하는 동물을 말한다.

⑤ 포유류는 온몸의 털 덕분에 체온이 쉽게 변하지 않는다.

3 다음의 동물은 포유류, 양서류, 조류 중 각각 무엇에 해당하는지 쓰시오.

(1)   (2)   (3)

▲ 호랑이   ▲ 두꺼비   ▲ 앵무새

(   )   (   )   (   )

4 다음 십자말풀이를 하시오.

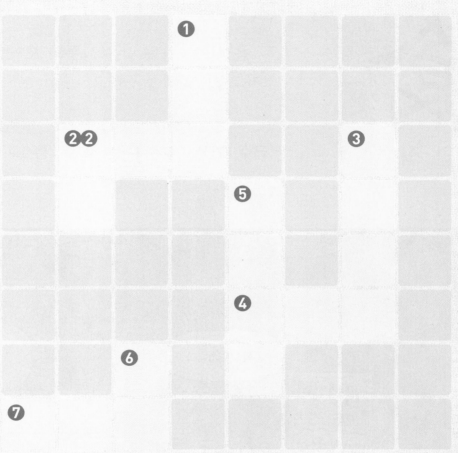

→ 가로

❷ 물과 땅 모두에서 생활하는 동물. 대표적인 동물에는 개구리, 두꺼비 등이 있다.

❹ 어류가 물속에서 숨을 쉴 수 있게 해 주는 부분.

❼ 긴 코를 자유롭게 이용하는 포유류.

↓ 세로

❶ 새끼를 낳고 젖을 먹여서 키우는 동물. 강아지, 기린 등이 있다.

❷ 신발을 신을 때 그 속에 함께 신는 것. 예 ○○ 열 켤레를 구매했다.

❸ 동그랗게 생긴 모양. 예 세모, 네모, ○○○○

❺ 곡식을 쪼아 먹는 새를 막기 위해 막대기와 짚으로 만든 사람 모양의 물건.

❻ 동물의 몸 끝에 붙어 있는 부분. 예 강아지가 ○○를 흔들며 달려왔다.

食이 들어간 말

食

밥 식

음식물을 가득 담은 그릇의 모양을 나타낸 글자로 밥, 먹다를 뜻해요.

급수 | 7급　부수 | 食　획수 | 총 9획

QR을 보며 따라 써요!

食
밥 식

🔍 한자 획순을 알아보아요.

 →  →  → →

→ → → 食

한자를 쓰며 익혀요~!

식 사

여러 가지 음식을 먹는 일.

○ 맛있는 저녁 **식사**를 마치고 산책을 했다.

食	事
밥 식	일 사

4
주

과 식

지나치게 많이 먹음.

○ **과식**을 했더니 속이 좋지 않다.

過	食
지날 과	밥 식

외 식

집이 아닌 곳에서 식사하는 일.

○ 입학식을 마치고 가족들과 **외식**을 했다.

外	食
바깥 외	밥 식

事가 들어간 말

事
일 **사**

도구를 쥐고 있는 모양을 나타낸 글자로 **일, 직업**을 뜻해요.

급수 | 7급   부수 | 亅   획수 | 총 8획

事
일 사

QR을 보며 따라 써요!

한자 획순을 알아보아요.

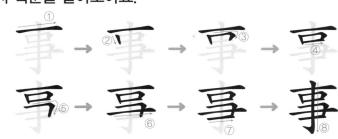

한자를 쓰며 익혀요~!

사 실
실제로 있었던 일.

○ 책을 읽으며 새로운 역사적
사실에 대해 배웠다.

事	實
일 사	열매 실

4
주

사 고
평소에 없던 뜻밖의 사건.

○ 교통**사고**가 나지 않도록
조심해야 한다.

事	故
일 사	연고 고

사 업 가
회사를 운영하는 사람.

○ 아버지처럼 회사를 운영하는
사업가가 되고 싶다.

事	業	家
일 사	업 업	집 가

1 다음 한자어를 바르게 읽은 것은 무엇입니까? ·· (   )

過食

① 가식   ② 식사   ③ 사실   ④ 과식   ⑤ 음식

2 다음 밑줄 그은 한자어의 음을 쓰시오.

(1) <u>食事</u>를 모두 마치고 설거지를 했다. ···→ (   )

(2) 삼촌은 오랜 시간 노력한 끝에 멋진 <u>事業家</u>가 되었다.

···→ (   )

3 보기 와 같이 다음 한자어의 음을 쓰시오.

보기
태어난 날 <u>生日</u> ··· 생 일

(1) 뜻밖에 일어난 일 <u>事故</u> ··· ▯ 고

(2) 지나치게 많이 먹음 <u>過食</u> ··· 과 ▯

4 힌트 를 보고 다음 빈칸에 들어갈 알맞은 글자를 써넣으시오.

▯ 실

▯ 고

힌트
• ▯실 : 실제로 있었던 일.
• ▯고 : 평소에 없던 뜻밖의 사건.

5 다음 뜻을 가진 낱말은 어느 것입니까? ·· (   )

> 😀 집이 아닌 곳에서 식사하는 일.

① 과식   ② 외식   ③ 식사   ④ 사실   ⑤ 음식

6 다음 밑줄 그은 한자어를 보기 에서 찾아 번호를 쓰시오.

> 보기
>
> ① 事故   ② 過食   ③ 食事   ④ 飮食

(1) 친구와 맛있는 <u>식사</u>를 하며 추억을 쌓았다. ⋯⋯ (   )

(2) 졸음운전은 심각한 <u>사고</u>로 이어질 수 있다. ⋯⋯ (   )

7 다음 밑줄 그은 한자어의 음을 쓰시오.

> * 자선 <u>事業家</u>의 기부가 큰 도움이 되었다.
> * <u>事業家</u>가 되기 위해 학교 수업을 열심히 들었다.
> * 그는 실패 경험을 교훈으로 삼아 <u>事業家</u>가 되었다.

(   )

8 다음 뜻을 가진 '외식'을 한자로 쓰시오.

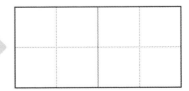

> 출입
> • 뜻 : 집에서 만들어 먹지 않고
>   밖에서 음식을 사 먹음.

누구나 100점 TEST

1 다음 그림을 보고 동물을 조류와 포유류로 나누시오.

㉠ 강아지

㉡ 앵무새

㉢ 독수리

㉣ 판다

(1) 조류 : (,   )
(2) 포유류 : (,   )

2 다음 중 성격을 나타내는 말이 <u>아닌</u> 것은 어느 것입니까?·······················(   )

① 어질다
② 교활하다
③ 너그럽다
④ 아름답다
⑤ 고지식하다

3 바르게 쓴 문장을 골라 ○표 하시오.

(1) 나뭇잎이 초록빛을 띠고 있다.
(   )

(2) 얼굴이 붉으락붉으락 달아올랐다.
(   )

4 다음 빈칸에 들어갈 알맞은 말은 어느 것입니까?·······················(   )

맛있는 아침 ○○로 하루를 시작했다.

① 事實   ② 食事
③ 事故   ④ 過食
⑤ 外食

5 다음에서 설명하는 연극에 관련된 말을 골라 ○표 하시오.

(1) 연극을 관람하는 사람.
(배우 / 관객)

(2) 배우와 관객이 함께 만들어 가는 공연.
(연극 / 희곡)

6 다음 뜻에 알맞은 낱말을 보기 에서 찾아 쓰시오.

보기
> 해설   지문   대사

(1) 등장인물들이 서로 주고받는 말.

( )

(2) 희곡에서 대사를 어떤 표정과 몸짓으로 표현해야 하는지 알려 주는 부분.

( )

7 양치기 소년이 늑대가 나타났다는 '사실'을 알리고 있습니다. '사실'을 한자로 바르게 쓴 것은 무엇입니까? ·········· ( )

① 事實   ② 食事
③ 事故   ④ 過食
⑤ 外食

8 밑줄 그은 낱말을 바르게 고쳐 쓰시오.

(1) 눈에 띠는 옷을 입었다.

(2) 오랫만에 고향에 내려왔다.

9 다음 밑줄 그은 낱말이 알맞게 쓰이지 않은 것은 무엇입니까? ····················· ( )

① 과식을 했더니 배가 아프다.
② 동생의 잘못을 교활하게 용서했다.
③ 친구의 이기적인 태도에 실망했다.
④ 명절을 맞아 오랜만에 사촌들을 만났다.
⑤ 연극을 보기 위해 많은 관객들이 모였다.

10 다음 낱말의 밑줄 그은 글자에 쓰이는 한자를 선으로 이으시오

(1) 사고 •

• ㉠ 事

(2) 외식 •

• ㉡ 食

(3) 사업가 •

4
주

속담 플러스

웃는 낯에 침 못 뱉는다

 '낯'은 사람의 얼굴을 뜻하는 우리말이에요. '웃는 낯에 침 못 뱉는다'라는 말은 기분 좋게 웃으며 대하는 사람에게 함부로 하거나 화를 낼 수 없다는 뜻이지요. 웃으면서 부탁했던 동생을 거절할 수 없었던 언니처럼 말이에요.

1 진규는 동물의 종류를 인터넷으로 조사하고 있어요. 인터넷 검색 결과가 참으로 나왔을 때 ㉠에 들어갈 알맞은 내용은 무엇인지 보기 에서 찾아 쓰세요.

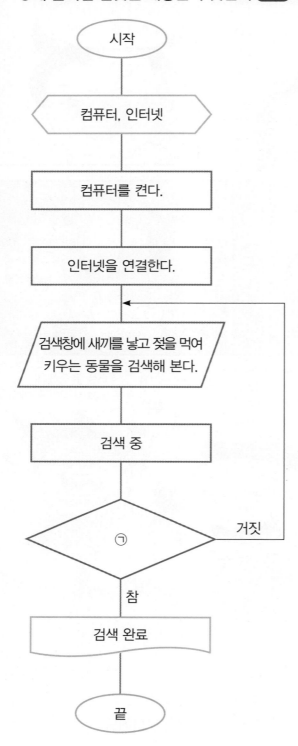

시작

컴퓨터, 인터넷

컴퓨터를 켠다.

인터넷을 연결한다.

검색창에 새끼를 낳고 젖을 먹여 키우는 동물을 검색해 본다.

검색 중

㉠ ― 거짓

참

검색 완료

끝

보기

조류

포유류

양서류

(   )

2 다음 에서 연극에 관련된 말에 대한 알맞은 설명이 적힌 숫자를 모두 찾아 네모 칸을 색칠해 보세요.

> **보기**
>
> ❶ 희곡에는 영화, 대사, 지문이 들어 있습니다.
> ❷ 배우들은 대사를 통해 이야기를 이끌어 나갑니다.
> ❸ 연극은 배우와 관객이 함께 만들어 가는 공연을 뜻합니다.
> ❹ 지문에는 이야기가 일어나는 시간과 장소가 적혀 있습니다.
> ❺ 지문은 대사를 어떻게 실감 나게 표현해야 하는지 알려 줍니다.
> ❻ 해설은 희곡의 가장 뒷부분에 나와서 이야기에 대한 설명을 해 줍니다.

컴퓨터는 픽셀이라는 점으로 그림과 글씨를 표현해.

1	1	2	1	2	1	1
4	1	2	1	2	1	4
4	4	4	4	4	4	4
2	6	6	6	6	6	5
3	6	6	6	6	6	5
4	2	6	6	6	5	4
4	4	3	2	3	4	4

1~4주 동안 공부한
160여 개의 주요 어휘를
ㄱㄴㄷ 순서로 정리했어요!

기초 학습능력 강화 프로그램

매일매일 쌓이는 국어 기초력

똑똑한 하루

독해&어휘&글쓰기

공부 습관 형성

10분이면 하루치 공부를 마칠 수
있어서 아이들 스스로 쉽게
학습할 수 있도록 구성

국어 기초력 향상

어휘는 물론 독해에서 글쓰기까지
초등 국어 전 영역을 책임지는
완벽한 커리큘럼으로 국어 기초력 향상

재미있는 놀이 학습

꼭 필요한 상식과 함께
창의적 사고력 확장을 돕는
게임 형식의 구성으로 즐겁게 학습

쉽다! 재미있다! 똑똑하다! 똑똑한 하루 시리즈
예비초~6학년 각 A·B (14권)

똑 똑 한
하루
어휘

정답과 풀이

단계
3 B
3~4학년

천재교육

정답과 해설
포인트 ③가지

▶ 혼자서도 이해할 수 있는 친절한 어휘 풀이

▶ 배운 어휘는 물론 참고 어휘, 보충 어휘까지 자세한 해설

▶ 비슷한말, 반대말, 포함 어휘까지 관계 어휘를 풍부하게 제시

1주에는 무엇을 공부할까? 　　　　　10~11쪽

1 (1) 추석 (2) 설날 (3) 단오
2 (1) 알라딘 (2) 엄지 공주

3 초콜릿
4 목

1일 주제 어휘 　　　　　16~17쪽

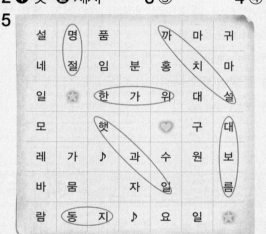

1 (1) – ④ (2) – ② (3) – ③ (4) – ①
2 ❶ 낮 ❷ 제사　　**3** ⑤　　　　**4** ④
5

1 추석은 음력 8월 15일, 대보름은 음력 1월 15일, 단오는 음력 5월 5일, 설은 음력 1월 1일입니다.

2 차례는 낮에 지내는 제사를 뜻하는 말입니다.

3 대보름에 먹는 '부럼'은 잣, 호두, 밤과 같이 딱딱한 열매입니다.

4 ①은 '쉰', ②는 '쉬었다', ③은 '꾀어', ⑤는 '쉬어야겠다'가 알맞습니다.

5 ❶ 명절　❷ 한가위　❸ 대보름
　　❹ 햇과일　❺ 까치설　❻ 동지

2일 교과 어휘 국어 　　　　　22~23쪽

1 ③　　　　**2** (1) – ① (2) – ②　　　**3** ④
4 (1) ○ (2) × (3) ○ (4) ×
5 (1) 등 장 인 물 (2) 주 인 공
　　(3) 주 변 　인 물 (4) 성 격
　　(5) 성 격

1 군인, 거인, 범인, 신고인과 같이 '인'은 '사람'을 뜻합니다.

2 주인공이 아닌 인물을 주변 인물이라고 합니다.

3 등장인물은 연극, 영화, 소설 따위에 나오는 모든 인물이므로 '등장'이란 '연극, 영화, 소설 따위에 나옴.'을 뜻합니다.

4 별주부전의 자라나 토끼와 같이 이야기에서 사람처럼 말하고 행동하는 동물이나 사물도 등장인물이 될 수 있습니다.

3일 알쏭 어휘 28~29쪽

1 초콜릿 **2** ②
3 (1) 영수예요 (2) 두꺼워서 (3) 두텁다
  (4) 초콜릿 (5) 어이없게
4 (1) 초콜릿 (2) 어이 (3) 예요 (4) 두꺼운

1 외래어 '초콜릿'이 바른 표기입니다.

2 옷은 '두껍다, 얇다'로 표현합니다. '두텁다' 는 믿음이나 우애가 굳고 깊다는 뜻으로 쓰 이는 말입니다.

3 (1) '영수'의 '수'에는 받침이 없으므로 '영수 예요'와 같이 씁니다.
  (2) 책은 '두껍다, 얇다'로 표현합니다.
  (3) 친구에 대한 믿음을 말하는 것이므로 '두 텁다'를 써야 합니다.

(4) '초콜릿'이 바른 표기입니다.
(5) '어의없다'는 틀린 말이고 '어이없다'가 바릅니다.

4 '초콜릿', '어이없다', '부자예요', '두꺼운 양 탄자'가 바른 표기입니다.

> **[참고]** 영숙이예요(○) / 영숙이에요(×)
> '이에요'는 '예요'로 줄여 쓸 수 있습니다. 그런 데 '영숙이예요'는 '영숙'에 '이에요'가 붙은 형태 가 아니라 '영숙이'에 '예요'가 붙은 형태입니다. 사람 이름 뒤에 '이'가 붙어서 앞말이 되고, '이' 에는 받침이 없으므로 뒷말로 '예요'가 붙어서 '영숙이예요'로 씁니다.
> 예 현수예요(현수 + 예요)
> 예 동렬이예요(동렬이 + 예요)
> 예 동렬이에요(×)

4일 교과 어휘 (사회) 34~35쪽

1 (1) – ② (2) – ① **2** ⑤
3 ❶ 다문화 ❷ 맞벌이 **4** 입양 가족
5

		❷핵				❻맞
❶확	대	가	족			맞
		족				벌
❸가						이
❹입	❺양		❼다	문	화	가	족
	육					족

1 농사를 짓던 옛날에는 확대 가족이 많았고, 산업이 발달한 오늘날은 핵가족이 많습니 다.

2 핵가족은 부모와 결혼하지 않은 자녀로만 이루어지므로 할아버지나 할머니는 속하지 않습니다.

3 다문화 가족은 서로 다른 국적의 남녀가 결 혼해서 이룬 가족이고, 부부 모두 직업을 가지고 일하는 가족은 맞벌이 가족입니다.

4 직접 낳지 않은 자녀를 입양하여 꾸린 가족 을 입양 가족이라고 합니다. 입양 가족이 늘면서 가족이 혈연관계로만 이루어진다는 생각도 점차 바뀌고 있습니다.

5 → **가로**
❶ 확대 가족 ❹ 입양 ❼ 다문화 가족
↓ **세로**
❷ 핵가족 ❸ 가입 ❺ 양육 ❻ 맞벌이 가족

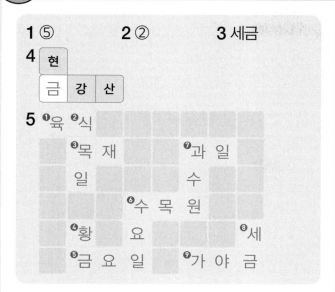

1 ⑤   2 ②   3 세금

4 현 / 금 강 산

5 육식 / 목재 / 과일 / 일 / 수 / 수목원 / 황 / 요 / 세 / 금요일 / 가야금

1 '목재', '목수', '식목일'의 '목'에는 木(나무 목) 자가 쓰입니다.

2 나무를 이용하여 집, 가구 등을 만드는 일을 하는 사람을 '목수'라고 합니다.

3 '금속', '백금', '황금'의 '금'은 낱말의 뜻으로 보아 '쇠'나 '금'의 뜻으로 쓰였지만 '세금'은 나라에서 거두어들이는 돈이므로 '돈'의 뜻으로 쓰였습니다.

4 빈칸에 '금'을 넣으면 현금, 금강산의 어휘가 만들어집니다.

5 **→가로** ❶ 육식 ❸ 목재 ❺ 금요일
❻ 수목원 ❼ 과일 ❾ 가야금
↓세로 ❷ 식목일 ❹ 황금 ❻ 수요일
❼ 과수원 ❽ 세금

---

1 ②   2 ②   3 ⑤
4 (1) ㉠ (2) ㉡, ㉢, ㉣   5 (1) ㉢ (2) ㉠
6 ④   7 입양   8 ⑤
9 (1) 에요 (2) 예요 (3) 에요 (4) 예요
10 ④ 식 / 목 재 / 일

1 단오에는 씨름과 그네뛰기를 합니다. 창포를 달인 물로 머리를 감는 풍습도 있습니다.

2 설을 맞이하여 새로 산 옷이나 신발을 '설빔'이라고 합니다.

3 동지에는 팥죽을 쑤어 먹는 풍습이 있습니다.

4 흥부는 이야기의 중심인물이므로 주인공이고, 흥부의 가족들은 주변 인물에 해당합니다.

5 놀부는 욕심이 많은 성격이고 흥부는 착한 성격입니다. '가난하다'는 성격을 나타내는 말이 아니므로 주의합니다.

6 '인'은 '사람'을 뜻합니다. 뒤에 사람을 뜻하는 '인' 자가 붙어 '군인, 범인, 거인'이 됩니다.

7 직접 낳지 않은 아이를 자녀로 맞아들이는 일을 '입양'이라고 합니다. 입양한 자녀로 이루어진 가족이 '입양 가족'입니다.

8 서로 다른 국적, 인종, 문화를 가진 남녀가 결혼해서 이룬 가족을 '다문화 가족'이라고 합니다.

9 '수박+이에요', '오이+예요', '귤+이에요', '공짜+예요'와 같이 앞말과 뒷말을 나누어 봅니다.

10 빈칸에 '목' 자를 넣으면 '식목일', '목재'가 됩니다.

1주 특강 사고 쑥쑥

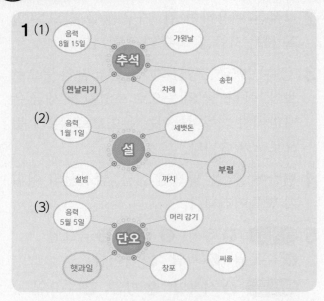

1 (1) 추석 — 음력 8월 15일 / 가윗날 / 송편 / 차례 / 연날리기

(2) 설 — 음력 1월 1일 / 세뱃돈 / 부럼 / 까치 / 설빔

(3) 단오 — 음력 5월 5일 / 머리 감기 / 씨름 / 창포 / 햇과일

(1) '연날리기'는 설에 하는 풍습으로 알맞습니다.

(2) '부럼'은 대보름에 먹는 딱딱한 열매입니다.

(3) '햇과일'은 추석에 어울리는 어휘입니다.

2 (1) 흥부
(2) 백설 공주
(3) 용왕

(1) 남자이고, 우리나라 이야기에 나오는 인물이며 형의 이름이 놀부인 인물로는 '흥부'가 알맞습니다.

(2) 공주인데 바닷속에서 살지 않으므로 인어 공주는 아닙니다. 유리 구두와도 관련이 없으므로 신데렐라도 아닙니다. 일곱 난쟁이와 함께 사는 공주로는 백설공주를 떠올릴 수 있습니다.

(3) 이야기에 나오는 인물 중 육지에 살지 않으므로 바닷속에 사는 인물이라고 볼 수 있고, 죽을병에 걸려 토끼를 잡아오라고 시킨 인물은 '별주부전'의 용왕이 있습니다.

1주 특강 논리 탄탄

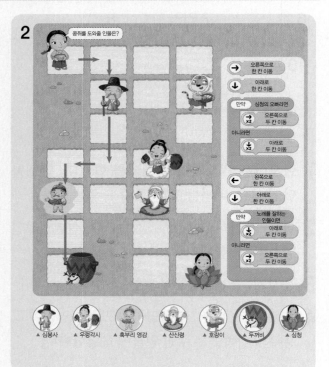

2주에는 무엇을 공부할까?

1 ③ 2 (1) △ (2) △ (3) ○ (4) ○   3 ③   4 반대인

1일 주제 어휘

1 (1) ① (2) ②
2 (1) 삶은 (2) 부친 (3) 무친   3 ③
4 예 새우튀김   5 ②
6

			❶고	추	❷장	
	❸열				조	
	❹무	치	다		림	
	김					
❺데	치	다				
				❻두		❼삶
			❽부	치	다	

1 재료를 물기가 거의 없게 열을 가하여 자주 저으며 익히는 것을 '볶다'라고 합니다. 재료를 국물에 넣고 바짝 끓여서 양념이 배어들게 하는 것은 '조리다'입니다.

2 보쌈은 돼지고기를 삶아서 만든 음식이고, 빈대떡은 프라이팬에 부쳐서 만든 음식입니다. 그리고 봄나물은 무쳐서 만듭니다.

3 떡, 찐빵, 찐 감자는 모두 '찌다'와 관련된 음식입니다.

4 끓는 기름에 넣어서 부풀어 나게 하는 것은 '튀기다'입니다.

5 삶아서 만드는 음식에는 '국수'가 있습니다.

2일 교과 어휘 국어

1 ②   2 관심   3 ③
4 교훈   5 ㉠
6 흥미를 느낀 부분   7 ②

1 작품에서 흥미를 느낀 부분이나 감동을 받은 부분 등이 감상에 해당합니다.

2 사람마다 경험이나 가치관이 다르기 때문에 작품을 읽을 때 어떤 점에 관심을 가질지가 달라질 수 있습니다.

3 선생님이 이야기를 읽으며 어떤 부분에서 흥미를 느꼈는지 묻고, 아이들이 흥미를 느낀 부분을 말하고 있습니다.

4 이야기의 내용과 관련하여, 지나친 욕심을 부리지 말아야겠다는 생각은 이야기를 읽고 얻은 '교훈'에 해당합니다.

5 '~고 생각했다.', '~ 재미있었다.', '~고 다짐했다.' 부분을 통해 ㉡~㉣은 생각이나 느낌이라는 점을 알 수 있습니다.

6 소가 된 게으름뱅이가 무를 먹는 장면이 재미있었다고 하였으므로, 흥미를 느낀 부분에 해당합니다.

7 나도 게으름만 피우다가는 언제 소로 변할지 모르니, 앞으로 부지런한 사람이 되어야겠다고 다짐한 부분은 '교훈'에 해당합니다.

3일 알쏭 어휘

70~71쪽

1 ②, ③　　　　　　　　2 유나
3 (1) 낫다 (2) 수군거리다
4 (1) 무릅쓰고 (2) 자석　5 ②
6 ④　　　　　　7 앞좌석, 병이 낫다, 뒷좌석
8 (1) ① (2) ④

1 '수근거리지'는 → '수군거리지'로, '남은 자석'은 → '남은 좌석'으로 고쳐야 합니다.

2 병에 걸려 아픈 것에서 회복할 때, 어떤 것을 비교할 때에는 '낫다'를 써야 합니다.

3 병이나 상처가 고쳐져 원래대로 된다는 뜻을 나타내는 말은 '낫다', 남이 알아듣지 못하도록 가만가만 이야기하는 것을 나타내는 말은 '수군거리다'입니다.

4 (1) 힘들고 어려운 일을 참고 견딘다는 내용이므로 '무릅쓰고'라고 고칩니다. (2) 쇠붙이를 끌어당기는 '자석'이라고 고칩니다.

5 서로 비교하여 어떤 것이 좋다고 할 때에는 '낫다'를 씁니다. 그러므로 '낳을'을 '나을'로 고칩니다.

6 나은 알 → 낳은 알, 뒷자석 → 뒷좌석, 낳은 → 나은, 죽음을 무릎쓰고 → 죽음을 무릅쓰고로 고쳐야 합니다.

7 앞좌석, 병이 낫다, 뒷좌석이 알맞게 쓴 표현입니다.

8 힘들고 어려운 일을 참고 견디는 것을 '무릅쓰다', 쇠를 끌어당기는 힘을 가진 물체를 '자석'이라고 합니다.

4일 교과 어휘 과학

76~77쪽

1 ②　　　　　2 실험　　　　3 ©
4 ©　　　　　5 ⑤　　　　　6 측정
7 ④　　　　　8 ©

1 어떤 것을 깊이 파고들며 연구하는 것을 '탐구'라고 합니다.

2 과학적인 내용을 탐구하기 위해 실제로 해 보는 것을 '실험'이라고 합니다.

3 돋보기는 작은 것을 크게 보기 위한 관찰 도구이고, 현미경은 맨눈으로는 보기 어려운 아주 작은 물체를 관찰하기 위한 도구입니다. 알콜 램프는 어떤 물질에 열을 가할 때 쓰는 도구로, 관찰에 사용하는 도구가 아닙니다.

4 물의 온도를 측정할 때에는 온도계가 필요합니다.

5 어떤 내용을 알아보기 위해 자세히 살펴보거나 찾아보는 것을 '조사'라고 합니다. 실제로 해 보는 것은 실험, 주의 깊게 보는 것은 관찰, 깊이 파고들며 연구하는 것은 탐구, 양이나 크기를 재어 보는 것은 측정입니다.

6 온도계, 자, 저울은 모두 측정을 위한 도구들입니다.

7 관찰, 조사, 실험, 측정 등의 활동을 통해 과학 탐구 활동을 할 수 있습니다.

8 가까이에서도 보이지 않는 아주 작은 것을 관찰할 때 현미경을 사용합니다.

1 (1) ② (2) ①　　　　**2** ⑤
3 (1) 정상 (2) 하강 (3) 상의
4 (1) 하강 (2) 상의
5 (1) 상승 (2) 하강　　**6** (1) ㉡ (2) ㉢
7 (1) 상 (2) 하　　　　**8** 地下水

1 잠바는 몸통에 걸치는 옷이므로 상의이고, 바지같이 아래에 입는 옷을 하의라고 합니다.

2 인상, 상승, 상의, 정상에는 모두 上(윗 상) 자가 들어갑니다. 상처에 들어간 상 자는 傷(상처 상)입니다.

3 '산 정상', '헬리콥터가 하강', '두꺼운 상의'와 같이 써야 알맞습니다.

4 상승의 반대말은 하강, 하의의 반대말은 상의입니다.

5 (1) 上(윗 상)과 昇(오를 승)이 합쳐진 上昇은 '상승'으로 읽습니다.
(2) 下(아래 하)와 降(내릴 강)이 합쳐진 下降은 '하강'이라고 읽습니다.

6 정상은 頂(정수리 정)과 上(윗 상)이 합쳐진 한자어이고, 지하는 地(땅 지)와 下(아래 하)가 합쳐진 한자어입니다.

7 上은 상이라고 읽고, 下는 하라고 읽습니다.

8 땅 밑으로 흐르는 물을 뜻하는 '지하수'는 地(땅 지)와 下(아래 하), 水(물 수)가 합쳐진 한자어입니다.

1 ②　　　　　　　　**2** ㉡
3 (1) 조리다 (2) 튀기다　**4** ㉣
5 (1) ㉢ (2) ㉠ (3) ㉡　**6** ③
7 자석 → 좌석　　　　**8** ㉡
9 ㉢　　　　　　　　**10** ②

1 떡은 쪄서 만드는 음식이므로 '찌다'를 정답으로 찾아야 합니다.

2 보쌈은 돼지고기를 삶아서 만드는 음식이므로 '삶다'와 관련이 있습니다.

3 장조림은 조려서 만드는 음식이고, 새우튀김은 새우를 튀겨서 만드는 음식입니다.

4 ㉠은 책을 읽은 동기, ㉡과 ㉢은 책의 내용입니다.

5 앞으로 게으름을 부리지 말아야겠다고 생각한 것은 '교훈', 무를 먹는 장면이 재미있었다는 것은 '흥미', 소가 된 게으름뱅이가 깨달음을 얻는 장면이 감동적이었다는 내용은 '감동'과 관련이 있습니다.

6 낳지 → 낫지, 낳아서 → 나아서, 무릎쓰고 → 무릅쓰고, 좌석 → 자석으로 고쳐야 알맞습니다. 알맞게 사용한 문장은 ③입니다.

7 '자석'을 '좌석'으로 고쳐 써야 합니다.

8 현미경은 아주 작은 물체를 관찰하기 위한 도구입니다.

9 ㉠, ㉡, ㉣에 모두 下가 들어갑니다.

10 공통으로 들어간 상 자는 上입니다.

2주 특강 사고 쑥쑥

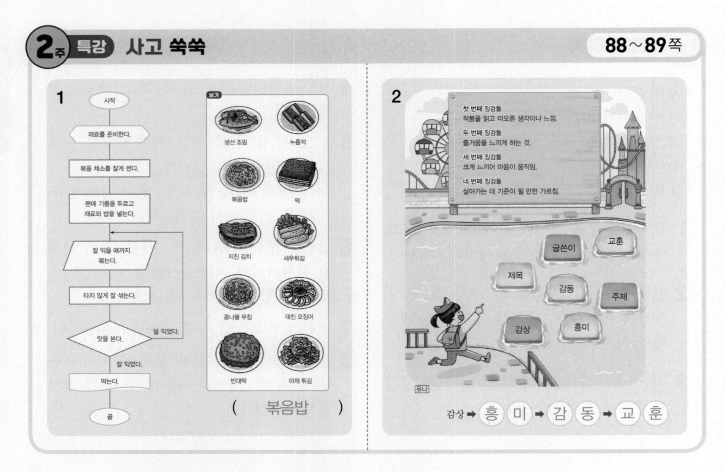

(볶음밥)

감상 ➡ 흥 미 ➡ 감 동 ➡ 교 훈

2주 특강 논리 탄탄

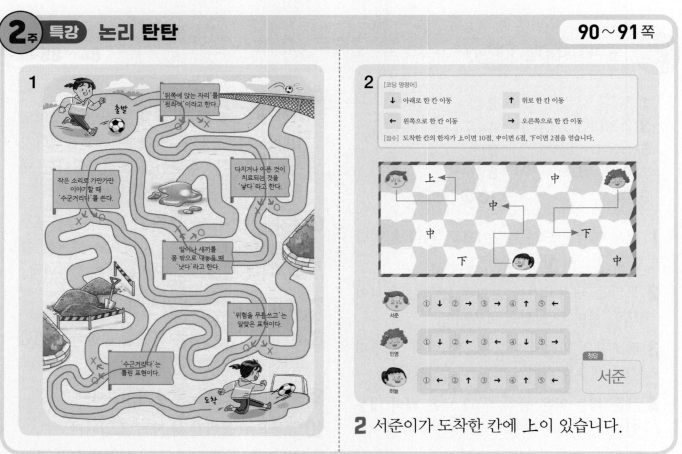

2 서준이가 도착한 칸에 上이 있습니다.

3주에는 무엇을 공부할까?

1 덜 익은
2 나무꾼
3 (1) ○
4 일

1일 주제 어휘

1 ②　　2 ⑤　　3 태호
4 ③　　5 (1) ② (2) ① (3) ③
6 (1) ○　7

맨	♥	겁	잘	삼	고
손	회	쟁	냉	수	원
순	대	이	헛	면	체
풋	면	떡	부	채	질
김	고	국	호	산	실
튀	불	추	★	돌	배

1 '풋-'은 '덜 익은'을 뜻하는 접두사입니다.

2 '헛일, 헛소리, 헛수고, 헛걸음'의 '헛'은 모두 '보람 없는'의 뜻을 나타내는 접두사이지

만 '헛개나무'는 그것과 관련이 없습니다.

3 욕심이 많은 사람을 '욕심쟁이'라고 합니다. '장이'는 '그것과 관련된 기술을 가진 사람'의 뜻을 더하는 접미사로 '땜장이, 간판장이, 옹기장이'와 같은 말에서 쓰입니다.

5 '돌-'은 '야생으로 자라는', '덧-'은 '겹쳐 신거나 입는'을 뜻하고, '-꾼'은 '어떤 일을 잘하는 사람'을 뜻하는 말입니다.

6 '맨-'은 '다른 것이 없는'이라는 뜻입니다.

7 ❶~❻의 차례대로 '풋고추, 맨손, 헛수고, 돌배, 겁쟁이, 부채질'에 해당하는 뜻입니다.

2일 교과 어휘 국어

1 ④　　2 ②　　3 (1) 머슴
(2) 산신령　4 아씨　5 ⑤
6 선녀　　7 도깨비

1 옛날에 백성들이 자기 고을을 다스리던 관리를 높여 부르는 말은 '사또'입니다.

2 '이방'은 현실 속의 인물에 해당합니다.

3 (1)은 전래동화 '먹여 주고 입혀 주고 재워 주고'에 나오는 머슴 이야기이고, (2)는 전래

동화 '금도끼 은도끼'에 나오는 산신령과 나무꾼 이야기입니다.

5 빈칸에는 직업을 나타내는 말인 '나무꾼'이 들어가야 합니다.

6 '하늘에서 내려온'이라는 말과, 사슴을 구해 준 나무꾼이 결혼한 대상이라는 내용으로 보아, '선녀'가 알맞습니다.

7 머리에 뿔이 나고 방망이를 갖고 다니며 요술을 부리는 상상 속의 존재는 '도깨비'입니다.

112~113쪽

3일 알쏭 어휘

> 1 ④　　　　　2 만들려고
> 3 (2) ×　　　　4 토끼　　　5 ②
> 6 (1) 한창 (2) 한참 (3) 한창 (4) 한참
> 7 (1) 좋네요 (2) 만들려고 (3) 안 돼

1 '만들다'를 어떤 의도를 나타내는 뜻으로 쓰려면 '만드려고'가 아니라 '만들려고'라고 써야 합니다.

2 빈칸에 공통으로 들어갈 말은 '만들려고'입니다.

3 '좋(다)', '웃(다)'에 '-네요'를 붙여 쓰려면 '좋으네요', '웃으네요'가 아니라 '좋네요', '웃네요'라고 써야 합니다.

4 '되(다)'에 '-어'가 붙으면 '되어'가 되고 이것을 줄여서 말하면 '돼'가 됩니다. 따라서 무엇을 하지 말라는 뜻으로 말하려면 '안 되'가 아니라 '안 돼'라고 써야 합니다.

5 가을 들판에 국화가 많이 피어 있는 모양을 나타내려면 '국화가 한창'이라고 표현해야 합니다. '한참'은 시간이 상당히 지나는 동안을 나타내는 낱말이므로 ②는 어색한 문장입니다.

6 (1)과 (3)은 어떤 일이 가장 활기 있고 왕성하게 일어나는 때나 모양을 나타내는 '한창'이 어울리고, (2)와 (4)는 시간이 상당히 지나는 동안을 뜻하는 '한참'이 어울립니다.

7 (1)은 '-으-'를 뺀 '좋네요'로 고쳐 쓰고, (2)는 '만들'의 ㄹ받침을 살려 '만들려고'로 고쳐 쓰고, (3)은 '안 돼'로 고쳐 씁니다.

118~119쪽

4일 교과 어휘 [사회]

> 1 지형　　　　2 (1) ② (2) ③ (3) ①
> 3 (2) ×　　　　4 해안
> 5 (1) ㉢ (2) ㉠ (3) ㉡　　　6 ⑤
> 7 (1) 섬 (2) 산지 (3) 평야

1 '땅의 생김새'라는 뜻을 가진 낱말로, '산지, 평야, 하천, 해안, 섬' 등을 포함하는 낱말은 '지형'입니다.

2 '평야'는 '평평하고 넓은 들판.', '하천'은 '강과 시내를 아울러 이르는 말.', '산지'는 '산이 많은 지대.'를 뜻하는 낱말입니다.

3 '수증기'는 '물이 증발하여 기체 상태로 된 것.'을 뜻하는 말로, '지형'에 해당하는 낱말이 아닙니다.

4 '바다와 맞닿은 육지 부분으로 우리나라에는 동해안, 서해안, 남해안의 세 곳이 있는 지형.'은 '해안'입니다.

5 (1)은 산지, (2)는 평야, (3)은 하천입니다.

6 사진에 나타난 지형은 '섬'입니다. 섬은 주변에 물이 있는 지형이라 수증기가 많아서 날이 흐리고 비가 자주 오는 편이므로 ⑤의 내용은 알맞지 않습니다.

7 (1) 주위가 바다로 둘러싸인 지형은 '해안'이 아니라 '섬'입니다.
(2) 우리나라 국토의 70퍼센트는 '평야'가 아니라 '산지'입니다.
(3) 논농사를 지을 수 있는 평평하고 넓은 들판은 '하천'이 아니라 '평야'입니다.

5^일 한자 어휘

1 ①　　　　2 ②　　　　3 일
4 ③　　　　5 ⑤
6 (1) ① (2) ③ (3) ②
7 (1) 생일 (2) 일상 (3) 평생

1 '살아서 숨 쉬고 활동할 수 있게 하는 힘.'을 뜻하는 낱말은 '생명'입니다.

2 '생명'에 쓰인 '생'은 '살다'라는 뜻을 가리킵니다.

3 '일요일이나 공휴일과 같이 일을 하지 않고 쉬는 날.'은 '휴일', '해가 떠오름.'은 '일출'이므로 빈칸에 들어갈 글자로 알맞은 것은 '일'입니다.

4 '일출'을 한자로 표기하면 '日出'입니다. ①은 '휴일', ②는 '일상', ④는 '평생', ⑤는 '생명'입니다.

5 '生日'의 한글 표기는 '생일'입니다.

6 (1)의 '生命'은 '생명'이라고 읽고, (2)의 '日常'은 '일상'이라고 읽으며, (3)의 '日出'은 '일출'이라고 읽습니다.

7 '사람이 세상에 태어난 날.'은 '생일', '날마다 반복되는 평범한 생활.'은 '일상', '세상에 태어나서 죽을 때까지의 동안.'은 '평생'입니다.

3^주 누구나 100점 TEST

1 ④　　　　2 (1) ② (2) ① (3) ④ (4) ③
3 (1) ㉡, ㉢ (2) ㉠, ㉣
4 (1) 머슴 (2) 산신령　　　5 좋네요
6 한창　　　7 (2) ○　　　8 평야
9 ④　　　　10 ④

1 '어떤 일을 잘하는 사람.'이라는 뜻의 접미사 '-꾼'은 '일꾼, 나무꾼, 농사꾼, 살림꾼' 등과 같은 낱말에 쓰입니다. '학생꾼'으로 쓰는 것은 알맞지 않습니다.

2 '헛-'은 '보람 없는.', '풋-'은 '덜 익은.'을 뜻하는 접두사이고, '-쟁이'는 '그러한 특성이 많은 사람.', '-질'은 '도구나 신체를 이용한 일.'을 뜻하는 접미사입니다.

3 옛이야기의 등장인물 중 현실에서 볼 수 있는 인물은 '사또, 아씨'이고, 상상 속에서 만들어 낸 인물은 '도깨비, 선녀'입니다.

4 옛이야기의 등장인물 중 (1) 남의 집에서 대가를 받고 농사일과 집안일을 하는 사람은 '머슴'이고, (2) 산을 지키고 다스리는 인물은 '산신령'입니다.

5 '좋(다)'에 '-네요'를 붙여 쓰려면 '좋네요'라고 써야 합니다.

6 일이 가장 활기 있고 왕성하게 일어나는 때나 모양을 나타내는 '한창'이 알맞습니다.

7 무엇을 하지 말라는 뜻으로 말하려면 '안 되'가 아니라 '안 돼'라고 써야 합니다.

8 물이 가까이 있어 논농사를 짓기에 좋으며, 평평하고 넓은 들판은 '평야'입니다.

9 주위가 물에 둘러싸여 있는 지형은 산지가 아니라, '섬'입니다.

10 '평생'과 '생일'에 공통으로 들어갈 글자에 알맞은 한자는 '生'입니다.

3주 **특강** 논리 탄탄　　　　130～131 쪽

1

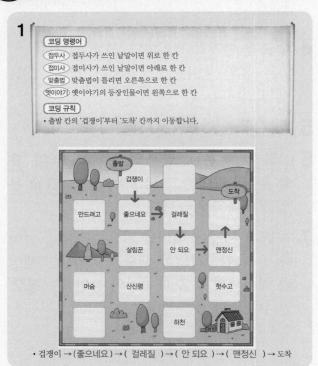

코딩 명령어
- 접두사　접두사가 쓰인 낱말이면 위로 한 칸
- 접미사　접미사가 쓰인 낱말이면 아래로 한 칸
- 맞춤법　맞춤법이 틀리면 오른쪽으로 한 칸
- 옛이야기　옛이야기의 등장인물이면 왼쪽으로 한 칸

코딩 규칙
- 출발 칸의 '겁쟁이'부터 '도착' 칸까지 이동합니다.

• 겁쟁이 → (좋으네요) → (걸레질) → (안 되요) → (맨정신) → 도착

2

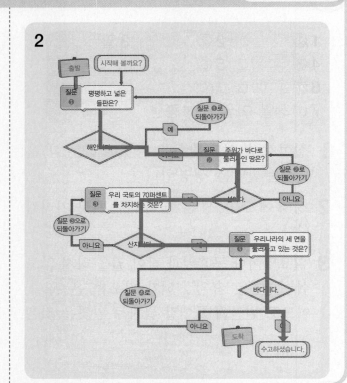

4주에는 무엇을 공부할까?

1 이기적인

2 (1) 배우 (2) 대사

3 어류

4 오랫만에 → 오랜만에

1일 주제 어휘

1 (1) 상냥하다 (2) 너그러운

2 ⑤　　　**3** (1) 예 은지 (2) 예 상냥하다

4 (1)

고	어	이	법	기	회	크	학	주	적

　→ 이 기 적 이다

(2)

교	대	수	인	해	갈	범	정	활	첩

　→ 교 활 하다

(3)

제	럽	그	성	일	권	너	다	군	초

　→ 너 그 럽 다

1 희성이는 싹싹하고 부드러운 '상냥한' 친구이고, 태진이의 말과 행동으로 보아 태진이는 속이 깊은 '너그러운' 친구입니다.

2 '어수룩하다'는 말이나 행동이 둔하고 어리석은 성격을 뜻하는 말입니다.

3 친구 중 한 사람을 떠올려 보고 어떤 말로 성격을 나타낼 수 있을지 생각해 봅니다.

4 팥쥐의 행동으로 보아 팥쥐는 '이기적인' 인물입니다. 자라는 '교활한' 인물입니다. 흥부는 '너그러운' 인물입니다.

2일 교과 어휘 국어

1 연극　　　**2** ④　　　**3** ④

4

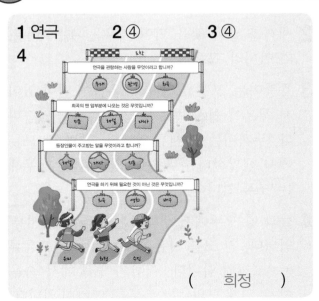

(희정)

1 '연극'은 배우가 대본에 있는 이야기를 관객에게 전달하는 예술을 말합니다.

2 해설은 등장인물들이 어떤 표정을 지어야 하는지는 알려 주지 않습니다.

3 대사를 어떻게 표현해야 하는지 알려 주는 희곡의 한 부분은 '지문'입니다.

4 연극을 관람하는 사람은 '관객'입니다. 희곡의 맨 앞부분에 나오는 것은 '해설'입니다. 등장인물이 주고받는 말은 '대사'입니다. '영화'는 연극을 하기 위해 필요한 것이 아닙니다.

3일 알쏭 어휘　152~153쪽

> 1 오랜만에　　　　　　2 ④
> 3 (1) 띠었다 (2) 받치고
> 4 (1)-①, (2)-②　　　5 ⑤
> 6 (1) 오랫만에 (2) 오랜만에

1 '어떤 일이 있은 때로부터 긴 시간이 지난 뒤에'를 뜻하는 '오래간만에'를 줄인 말은 '오랜만에'입니다.

2 몹시 화가 나거나 흥분하여 얼굴빛 따위가 붉게 또는 푸르게 변하는 모양을 나타내는 말은 '붉으락푸르락'입니다.

3 (1) '띠다'는 감정, 표정 등을 가지다의 뜻이므로 '띠었다'가 맞습니다.
　(2) '받치다'는 물건이나 몸의 한 부분을 무엇의 아래에 놓이게 한다는 뜻입니다. 따라서 '바치고'를 '받치고'로 고쳐 씁니다.

4 '눈에 띄다'가 맞는 표현이므로 '멀리서도 눈에 잘 띄었다.'가 맞습니다. 색깔이나 감정을 가지다의 뜻으로 '띠다'가 맞는 표현이므로 '붉은색을 띠는 아름다운 장미를 봤다.'가 맞습니다.

5 '바치다'는 어른께 정중하게 무엇을 드리거나 아낌없이 준다는 뜻입니다. '받치다'는 물건이나 몸의 한 부분을 무엇의 아래에 놓이게 한다는 뜻입니다. 따라서 '목숨을 바쳐 나라를 구한 위인들에 대해 배웠다.'가 바른 표현입니다.

6 '어떤 일이 있은 때로부터 긴 시간이 지난 뒤에'를 뜻하는 '오래간만에'를 줄인 말은 '오랜만에'입니다. 따라서 지민이가 쓴 '오랫만에'를 '오랜만에'로 고쳐 쓰는 것이 알맞습니다.

4일 교과 어휘 [과학]　158~159쪽

> 1 포유류　　　　　　2 ③
> 3 (1) 포유류 (2) 양서류 (3) 조류
> 4

1 어미 동물이 새끼를 낳아 젖을 먹이면서 키우는 동물은 '포유류'입니다.

2 새끼를 낳아 젖을 먹여 키우는 것은 '어류'가 아니라 '포유류'입니다.

3 호랑이는 '포유류'입니다. 온몸에 털이 있어서 체온이 쉽게 변하지 않는 특징이 있습니다. 두꺼비는 '양서류'입니다. 물과 땅 모두에서 생활한다는 특징이 있습니다. 앵무새는 '조류'입니다.

4 물과 땅 모두에서 생활하는 동물은 '양서류'입니다. 긴 코를 자유롭게 이용하는 포유류는 '코끼리'입니다. 어류가 물속에서 숨을 쉴 수 있게 도와주는 부분은 '아가미'입니다.

1 ④	2 (1) 식사 (2) 사업가
3 (1) 사 (2) 식	4 사
5 ②	6 (1) ③ (2) ①
7 사업가	8 外食

1 지나치게 많이 먹음을 뜻하는 '過食'을 우리말로 표기하면 '과식'입니다.

2 '食事'를 우리말로 표기하면 '식사'입니다. '事業家'를 우리말로 표기하면 '사업가'입니다. 사업가는 회사를 운영하는 사람을 말합니다.

3 뜻밖에 일어난 일을 뜻하는 '事故'를 우리말로 표기하면 '사고'입니다. 지나치게 많이 먹음을 뜻하는 '過食'을 우리말로 표기하면 '과식'입니다.

4 '사실'은 실제로 있었던 일이라는 뜻이고, '사고'는 평소에 없던 뜻밖의 사건이라는 뜻입니다.

5 '외식'은 집이 아닌 곳에서 식사하는 일을 뜻합니다.

6 '식사'를 한자로 표기하면 '食事'입니다. '사고'를 한자로 표기하면 '事故'입니다.

7 '사업가'를 한자로 표기하면 '事業家'입니다. '자선 사업가'란 형편이 어려운 사람들을 도와주는 일을 하는 사업가를 말합니다.

8 집에서 만들어 먹지 않고 밖에서 음식을 사 먹는다는 것을 뜻하는 '외식'을 한자로 표기하면 '外食'입니다.

1 (1) ㄴ, ㄷ (2) ㄱ, ㄹ	2 ④
3 (1) ○	4 ②
5 (1) 관객 (2) 연극	
6 (1) 대사 (2) 지문	
7 ①	8 (1) 띄는 (2) 오랜만에
9 ②	10 (1)-ㄱ, (2)-ㄴ, (3)-ㄱ

1 앵무새와 독수리는 '조류'입니다. 강아지와 판다는 '포유류'입니다.

2 '아름답다'는 성격을 나타내는 말이 아닙니다.

3 얼굴이 '붉으락푸르락' 달아올랐다고 하는 것이 맞습니다. '초록빛을 띠다'는 바른 표현입니다.

4 여러 가지 음식을 먹는 일을 뜻하는 '식사'를 한자로 표기하면 '食事'입니다.

5 연극을 관람하는 사람은 '관객'입니다. 배우와 관객이 함께 만들어 가는 공연은 '연극'입니다.

6 등장인물들이 서로 주고받는 말은 '대사'입니다. 희곡에서 대사를 어떻게 표현해야 하는지 알려 주는 부분은 '지문'입니다.

7 실제로 있었던 일을 뜻하는 '사실'을 한자로 표기하면 '事實'입니다.

8 '눈에 띄다'가 맞는 표현입니다. '오래간만에'를 줄인 말은 '오랜만에'입니다.

9 동생의 잘못을 '너그럽게' 용서했다고 쓰는 것이 알맞습니다.

10 '사고'와 '사업가'는 事(일 사) 자가 쓰입니다. '외식'은 食(밥 식) 자가 쓰입니다.

4주 특강 사고 쑥쑥

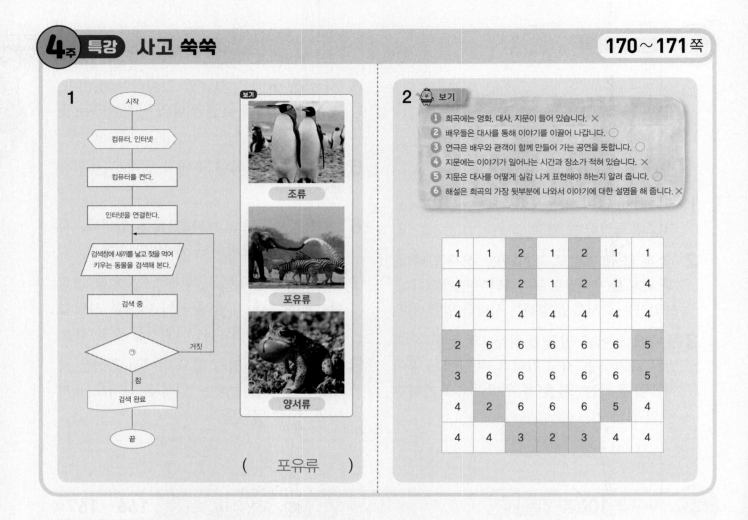

1

시작 → 컴퓨터, 인터넷 → 컴퓨터를 켠다. → 인터넷을 연결한다. → 검색창에 새끼를 낳고 젖을 먹여 키우는 동물을 검색해 본다. → 검색 중 → ㉠ (참 → 검색 완료 → 끝) (거짓)

보기

조류

포유류

양서류

(포유류)

2 보기

① 희곡에는 영화, 대사, 지문이 들어 있습니다. ✕
② 배우들은 대사를 통해 이야기를 이끌어 나갑니다. ○
③ 연극은 배우와 관객이 함께 만들어 가는 공연을 뜻합니다. ○
④ 지문에는 이야기가 일어나는 시간과 장소가 적혀 있습니다. ✕
⑤ 지문은 대사를 어떻게 실감 나게 표현해야 하는지 알려 줍니다. ○
⑥ 해설은 희곡의 가장 뒷부분에 나와서 이야기에 대한 설명을 해 줍니다. ✕

1	1	2	1	2	1	1
4	1	2	1	2	1	4
4	4	4	4	4	4	4
2	6	6	6	6	6	5
3	6	6	6	6	6	5
4	2	6	6	6	5	4
4	4	3	2	3	4	4

정답은
이안에
있어!

배움으로 행복한 내일을 꿈꾸는
천재교육 커뮤니티 안내

교재 안내부터 구매까지 한 번에!
천재교육 홈페이지

천재교육 홈페이지에서는 자사가 발행하는 참고서,
교과서에 대한 소개는 물론 도서 구매도 할 수 있습니다.
회원에게 지급되는 별을 모아 다양한 상품 응모에도
도전해 보세요.

구독, 좋아요는 필수! 핵유용 정보 가득한
천재교육 유튜브 <천재TV>

신간에 대한 자세한 정보가 궁금하세요?
참고서를 어떻게 활용해야 할지 고민인가요?
공부 외 다양한 고민을 해결해 줄 채널이 필요한가요?
학생들에게 꼭 필요한 콘텐츠로 가득한 천재TV로 놀러 오세요!

다양한 교육 꿀팁에 깜짝 이벤트는 덤!
천재교육 인스타그램

천재교육의 새롭고 중요한 소식을 가장 먼저 접하고 싶다면?
천재교육 인스타그램 팔로우가 필수!
누구보다 빠르고 재미있게 천재교육의 소식을 전달합니다.
깜짝 이벤트도 수시로 진행되니 놓치지 마세요!